Hôtel de Lalande

Musée des Arts décoratifs de Bordeaux

© Somogy éditions d'art, Paris, 2005
© Musée des Arts décoratifs, Bordeaux, 2005

Ouvrage réalisé sous la direction
de Somogy éditions d'art
Conception graphique : Valentina Leporé et Sylvie Favel
Contribution éditoriale : Anne-Sophie Hoareau-Castillo
Fabrication : Michel Brousset, Mara Mariano
Suivi éditorial : Lydia Labadi assistée de Aude Legond

ISBN 2-85056-912-7
Dépôt légal : novembre 2005
Imprimé en Belgique (Union européenne)

Hôtel de Lalande

Musée des Arts décoratifs de Bordeaux

par **Bernadette de Boysson**,

conservateur en chef du musée des Arts décoratifs de Bordeaux

Musée des Arts décoratifs de Bordeaux

SOMOGY
ÉDITIONS
D'ART

Remerciements

C'est un agréable devoir que de remercier tous
ceux sans qui ce guide n'aurait pu exister :
Hugues Martin, député-maire de Bordeaux
Dominique Ducassou, adjoint à la culture
Jean-François Lhérété, directeur général
des affaires culturelles
et le conseil municipal.

Un chaleureux remerciement à l'équipe
du musée des Arts décoratifs qui a participé
à la préparation de cet ouvrage :
Nathalie Balerdi-Paternotte
Christine Brillac
Catherine de Gabory
Valérie de Raignac
Lysiane Gauthier
Geneviève Rapaport
Michelle Seurin
Delphine Travers

En couverture : boiseries du salon
vert, début XVIIIe siècle (détail)

En quatrième de couverture :
façade de l'hôtel de Lalande

Ci-contre en haut :
boîte en or aux armes
de Bordeaux, 1787 (détail)
(Legs Paul Fourché, 1923)

Préface

À peine franchie la porte donnant accès à la cour pavée,
le charme opère.
L'échelle et les proportions de l'hôtel de Lalande
donnent l'impression de pénétrer en des lieux familiers.
La promenade au long des collections confirme
ce premier contact. Les pièces présentées tracent, en
effet, un large éventail des arts décoratifs français et
plus particulièrement bordelais.
Elles sont un témoignage de l'histoire de Bordeaux,
du cadre de vie de certains de ses habitants mais aussi
du savoir-faire des artistes et des manufacturiers qui
nous ont légué ce magnifique patrimoine.
De telles richesses doivent être partagées par le plus
grand nombre. C'est la raison pour laquelle nous avons
choisi d'instaurer une gratuité permanente d'accès à
la visite des collections des musées bordelais.
Bonne visite.

Hugues Martin
député-maire de Bordeaux

Sommaire

Si le musée m'était conté...

Le musée des Arts décoratifs de Bordeaux est riche de plus de 30 000 œuvres. Les plus belles et les plus célèbres, à bien des égards les plus importantes, sont exposées dans les décors de l'hôtel comme des objets de collection ou intégrées dans des séquences de *period-room*, la grande difficulté étant de créer une harmonie entre ces deux modes de présentation. Au gré des nouvelles acquisitions, des restaurations et des prêts, des changements interviennent et, à l'heure où vous consultez cet ouvrage, certaines œuvres ajoutées depuis sa sortie, enlevées ou changées de lieu ne figurent pas ; mais « l'esprit » du musée, son architecture, son histoire et ses principales collections sont immuables et, d'autre part, un guide permet de fixer un mode de présentation dans l'histoire d'un musée. Son discours simple, que ne trouble pas une multitude de détails, prépare à une consultation de catalogues spécialisés édités régulièrement par le musée et accompagne les œuvres, reproduites en couleur, facilitant la lecture et le parcours du visiteur.

Je tiens à rendre un hommage reconnaissant et appuyé au travail de conservateur et d'auteur de mes deux prédécesseurs, Xavier Védère (1955 - 1972) et Jacqueline du Pasquier (1972 - 1999) sans lesquels ce musée n'aurait pas sa renommée et ce guide sa matière essentielle ; je tiens aussi à souligner l'aide des Amis de l'hôtel de Lalande dont le travail bénévole et la générosité ont entraîné des acquisitions et des améliorations permettant au musée d'avoir cet éclat admiré aujourd'hui. Commenter les collections du musée des Arts décoratifs dans un langage imagé qui éclaire le jugement du visiteur et du lecteur est la finalité de cet ouvrage ; « conter », en paraphrasant La Fontaine, les arts décoratifs comme une histoire est notre secrète intention pour plus de bonheur et de délectation dans ce lieu magique, à la fois concret et symbolique, où, selon André Malraux, l'expérience de l'art est « inséparable de la révélation fondatrice de la présence des œuvres ».

L'hôtel de Lalande, musée des Arts décoratifs

En 1775, Pierre de Raymond de Lalande, chevalier, marquis de Castelmoron et baron de Vertheuil, achète un terrain faisant partie de l'ancien apanage des archevêques de Bordeaux, afin d'y faire construire une grande maison. Le fastueux archevêque, prince de Rohan, avait obtenu par lettre patente enregistrée par le Parlement de Bordeaux l'autorisation du roi de vendre une large partie des terrains de l'archevêché pour subvenir aux frais de la construction du palais Rohan (l'actuelle mairie).

Pierre de Raymond de Lalande est un des plus riches représentants de la noblesse de robe de la ville. Conseiller au Parlement de Bordeaux, il possède également de vastes plantations de café et de canne à sucre à Saint-Domingue ; il a épousé en 1752, à Bayonne, Jeanne d'Urtubie. Pour une demeure qu'il souhaite élégante et confortable, il fait appel à l'architecte Étienne Laclotte (1728-1811), figure dominante d'une dynastie de maîtres-architectes et entrepreneurs bordelais, particulièrement actifs.

Construit entre cour et jardin, l'hôtel de Lalande est achevé en 1779 et immédiatement considéré par le *Guide de Bordeaux* de 1785 comme un des plus intéressants et dignes d'être vus. Mais de cette belle demeure doublement protégée des bruits de la rue – ce qui est rare à Bordeaux –, à l'avant par une harmonieuse cour, à l'arrière par un jardin planté de grands arbres, les Lalande profiteront peu : Pierre de Raymond de Lalande meurt en 1787 et son fils et héritier Jean de Lalande, avocat général au Parlement, est guillotiné le 9 juillet 1794.

Sous le Consulat, les héritiers de Jean de Raymond de Lalande louent à la municipalité l'hôtel, déserté depuis la Révolution et entaché de pénibles souvenirs. C'est tout d'abord l'administration centrale de l'octroi qui s'y installe et, en 1808, lors de son passage à Bordeaux sur la route de l'Espagne, Napoléon est logé dans l'ancien palais de l'archevêché, tandis que son chef de cabinet et secrétaire d'État, Hugues Bernard Maret, duc de Bassano, est accueilli dans l'hôtel de Lalande.

Une des filles de Jean, Marie-Marthe, épouse de Raoul-Jacques Pichon de Longueville, rachète à ses frères, dans les années 1826-1827, leurs parts d'héritage sur l'hôtel de Lalande et le vend, le 16 mai 1828, à madame Asselin, riche propriétaire à la Martinique ; en 1839, il est racheté par le négociant Jean-Baptiste Duffour Debarbe, qui lègue ce bien à son fils, Lodi-

Martin Duffour-Dubergier, maire de Bordeaux de 1842 à 1848. Curieusement, ces différents propriétaires ne s'installent jamais dans la belle demeure et la louent au gouverneur de la XIe division militaire.

À la mort de Duffour-Dubergier en 1860, un autre négociant, Antoine Dalléas, dont le musée possède un portrait, en devient propriétaire. Mais dès cette époque, la municipalité de Bordeaux envisage l'acquisition de l'hôtel de Lalande et l'achète en 1880. Ayant cédé à l'administration de la Guerre une partie des terrains et des bâtiments de la rue Vital Carles où se trouvait installée la prison municipale, la Ville de Bordeaux y place les services de la police et des mœurs. Une prison sera construite, quelques années plus tard, en 1885, dans ce qui était le jardin de l'hôtel, par l'architecte Marius Faget (Bordeaux, 1834 - *id.*, 1916).

L'hôtel de Lalande est ainsi occupé pendant trente-six ans par les services de la police ; en 1923, le corps de logis principal est libéré et affecté à l'usage d'un musée, le musée d'Art ancien. L'ancienne prison-dépôt devient dépôt des objets trouvés et le restera jusqu'au second remaniement du musée.

Après quelques années de fonctionnement, le musée d'Art ancien est fermé durant la guerre, puis à la fin de celle-ci, réaménagé par le directeur des archives municipales, Xavier Védère. Ce nouveau musée, dit désormais des Arts décoratifs, est ouvert au public le 2 juillet 1955.

Au fil des ans, l'enrichissement de ses collections – notamment l'ensemble légitimiste, tout à fait unique en son genre, réuni par Raymond Jeanvrot, le don de Marcel Doumézy offrant un remarquable échantillon de la production de faïence fine à Bordeaux au XIXe siècle, la dation de céramique bordelaise du XVIIIe siècle entrée en 1978 – a rendu indispensable un agrandissement des surfaces de présentation et, à partir de là, un nouvel esprit a présidé à leur installation. On a tenté de retrouver l'atmosphère d'une maison particulière à Bordeaux au XVIIIe siècle, par l'acquisition puis la mise en valeur des éléments qui constituent le patrimoine bordelais en matière d'arts décoratifs (mobilier, céramique, orfèvrerie, verrerie…).

L'étage des combles s'ouvre au public ; l'aile des communs est complètement remaniée pour l'installation de la collection Jeanvrot au rez-de-chaussée et une salle d'exposition est aménagée sur deux étages dans l'ancienne écurie et le grenier à foin qui la surmontait. Quant à la prison, dûment réaménagée, elle est aujourd'hui le siège de vastes réserves, opportunément protégées des variations climatiques par des murs épais. Les ateliers et les salles d'animation pour les enfants s'y trouvent également. Cette restructuration a été organisée par Jacqueline du Pasquier, conservateur du musée, et inaugurée le 10 février 1984.

ARCHITECTURE

L'entrée dans la cour pavée se fait par une porte cochère à deux vantaux, garnie d'un lourd heurtoir en boucle sur platine découpée et d'un riche ensemble de serrurerie encore en place (cf. p. 80-81) ; cette cour est inscrite dans une demi-lune pour faciliter la manœuvre des carrosses ; à droite en regardant l'hôtel, un haut mur aveugle coiffé d'une balustrade abrite des regards curieux le monde caché de la vie privée ; à gauche, la grande arcade cintrée donnait accès aux écuries et aux remises à carrosses et, au-dessus, au grenier à foin, aujourd'hui salles d'exposition temporaire sur deux niveaux.

Sur la cour, l'hôtel en pierre blanche présente une façade à trois niveaux : un rez-de-chaussée légèrement surélevé, un premier étage et un second étage établi sous un haut toit « à la française » à deux versants et croupes d'ardoises. Le rythme est donné par les deux extrémités latérales en avant-corps formant pavillons où sont logés les deux escaliers qui encadrent symétriquement les cinq travées centrales.

La décoration, très sobre au centre, est plus élégante et abondante sur les deux pavillons : chaînes d'angle à refends, frontons triangulaires à denticules et guirlandes de feuilles de chêne retenues par des nœuds de ruban plissé encadrées par deux consoles à imbrications terminées par un effet de passementerie. Les deux portes d'entrée, placées sur les façades internes des pavillons, sont désaxées par rapport à la porte cochère et donc invisibles de la rue ; on y accède par un perron de deux marches qui se présente, dans un effet théâtral propre au XVIIIe siècle, comme une scène.

L'élévation de la façade postérieure est simple ; elle privilégie les trois travées centrales en reprenant la décoration plus riche ; les trois portes-fenêtres ouvraient, avant la construction de 1885, sur un perron de trois marches donnant un accès direct du salon de compagnie au jardin en contrebas. Ce paisible jardin aristocratique, clos de hauts murs, est décrit comme une vaste pelouse, garnie de plantes et d'arbustes, encadrée d'allées ombragées plantées de trois rangées d'arbres.

Donateurs

Nous sommes très reconnaissants aux généreux donateurs sans lesquels le musée n'aurait pas la même notoriété.

Les Amis du musée d'Art ancien
Les Amis de l'hôtel de Lalande
Les Amis des Musées de Bordeaux

M. Marcelin Abadie
Mme Lilette Achille-Fould
M. et Mme Jean-Claude Alberti
M. Daniel Astruc
M. Christian Astuguevielle
Le colonel Robert Balaresque
M. Vital-Henri Bassié
M. Jacques Baudichon
MM. Patrick Berna et Bernard
    Demole
M. Jacques Bernard
Mme Paul Berthelot
M. et Mme Albéric de Bideran
Mme Gaston Blanchet
M. Édouard Bonie
Mme Bonnet
M. Robert Boudon
Mlle Bouquet
Mme Albert Brandenburg
M. Guillaume Buhan
M. René Buthaud
Mlle Francine Buthaud
Mme Carole Buthel
M. Cadoret

Mme Helen Calhoun
M. Émile Calvet
Mme Jacques Calvet
M. Castéja
Mme Marguerite de Cazenove
M. Chaffaud
M. Géo Chalus
La chambre de commerce
    et d'industrie de Bordeaux
Mlle Chardemite
Mme Charon-Cazaux
Mlle de Chasteigner
La famille Convert
Mme Jules Coudol
M. Robert Coustet
M. et Mme Pierre Cruège
M. et Mme Henri Cruse
M. Gérard Cruse
M. Bruno Danese et Mme
    Jacqueline Vodoz
M. Étienne Decrept
M. Delbos
M. Géo Delvaille
Mme Albert Demons
Les héritiers Dollfus
Mme Jeanne Doubrère
M. Marcel Doumezy
M. et Mme Dubedat
Mlles Dubreuil
M. Duho
Mlle Louise Ducasse
M. Gaston Ducaunnes-Duval
Les Établissements Duclot

M. Dulignon-Desgranges

Mme Jeanne Yvette Duprat

Mme André Duranthon

M. Édouard Évrard de Fayolle

M. Bernard Flottes

Mme Fosse

M. Paul Fourché

Le Dr Michel Fréchin

Mme Simone Gaden

M. Olivier Gagnère

M. Gaspard

M. Raymond-Pierre Giovetti

M. Robert Goelet Guestier

Mlle Eulalie Gouzenne

M. Charles Gruet

M. et Mme Georges Guestier

M. Hautreuse

M. et Mme Maurice Jacmart

M. Raymond Jeanvrot

M. Klingbiel

M. Philippe Labory

Mme Lafuge

M. Laliment-Delorme

M. Maurice Lanoire

M. Andrès Lataillade

Mlle Berthe Laurier

M. et Mme Daniel Lawton

Mlle Le Féron

La société Lorenz

M. Georges Lung

Mlle Henriette Lung

Mme Maurice de Luze

M. et Mme Roger de Luze

Le Lyceum Club international de
Bordeaux

M. Mabille

M. Philippe Maffre

Mmes Élisabeth Mainguy et Simy
Wertheim

La comtesse de Marcellus
Froment

La manufacture nationale de
céramique de Sèvres

M. Félix Marcilhac

Mme Adrien Marquet

M. Maurice Meaudre de
Lapouyade

M. Guilhem Mellier

M. François Merman

Mlle Mertz

Mmes Mestrezat

M. Pierre-Omer Miller

M. Jean-François Moueix

Mlle Jeanne Moutard

M. Max Nadaud

M. Marcel Nattes

Mme Olmi

Mme Jacqueline du Pasquier

Mme Nathalie Du Pasquier

Le baron Charles de Pelleport-
Burète

Le conte Pierre de Pelleport-
Burète

M. Georges Périé

M. Xavier Petitcol

M. Pichard

M. Émile Pillot

M. Jean Pinçon

Mme de Pous

M. Précoul

Mme Prévau

Mme Rideau

La famille Robine

M. de Rosanbo

M. Alain Roussot

M. John Ruedy

Mlle Marguerite Salle

Mme Emma Samazeuilh

Mme Evelyne Samazeuilh

M. Jacques Sargos

M. André Schneider

M. et Mme Seguin

Mlle Renée Seguy

M. Semonin

M. André Servan

Mme Jacques Servan

M. Servantie-Guyot

M. Soulié-Cottineau

M. Jacques Subes

M. Jean-René Tauzin

Mme Touton

Mme Troiëkourof

M. Van Lith

Mlle Veillon Bouchard

M. Roger Vieillard

La vicomtesse de Wissocq

Rez-de-chaussée

1. Vestibule
2. Première antichambre
3. Seconde antichambre
4. Salon de compagnie
5. Salle à manger
6. Miniatures
7. Salon Cruse-Guestier
8. Salon de porcelaine
9 - 12. Collection historique
   Jeanvrot

A. Cour d'honneur
B. Accueil
C. Boutique
D. Salles des expositions
   temporaires
E. Salon de thé - Restaurant

Premier étage

1. Première antichambre
2. Seconde antichambre
3. Salon des singeries
4. Chambre jonquille
5. Salon vert
6. Chambre garance
7. Salon bordelais

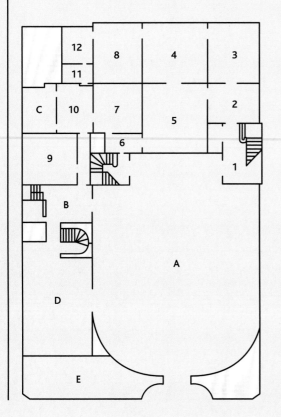

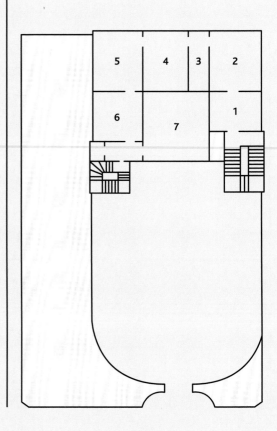

Visite du musée

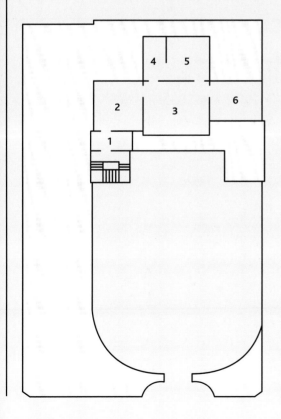

*La visite guidée essaie de respecter
à la fois l'ordre suivi par les invités
de monsieur et de madame de Lalande
au XVIIIe siècle et un parcours chronologique
racontant les arts décoratifs à travers
les œuvres présentées dans le musée ;
des encarts insérés dans le texte renvoient
aux grandes sections de la collection.
Ainsi que nous l'avons précisé dans
la préface, certaines pièces sont organisées
en period-room et d'autres sont aussi
des lieux d'exposition ; leur alternance
donne aux visiteurs l'illusion d'être
les hôtes de cette maison tout en
découvrant les différents départements
des arts décoratifs du XVIIe au XXe siècle
à Bordeaux, en France et en Europe.*

1. Vestibule et escalier d'honneur

Rez-de-chaussée

Le rez-de-chaussée est occupé par les salles de réception et l'appartement de commodité du maître de maison, précédés par leurs antichambres. Les boiseries et la plupart des parquets sont d'origine.

VESTIBULE ET ESCALIER D'HONNEUR

L'entrée principale – vestibule et escalier d'honneur (fig. 1) – n'est pas dans l'axe de la porte cochère, mais rejetée dans le pavillon latéral droit, le gauche abritant une entrée secondaire et l'escalier de service. Le corps du logis principal est ainsi réservé à une grande salle à manger sur la cour et sur le jardin, en enfilade, à un salon de compagnie.

La rampe en fer forgé est un chef-d'œuvre de la ferronnerie bordelaise (cf. p. 80-81), d'un modèle assez inhabituel à Bordeaux – peut-être emprunté à un ancien escalier des Tuileries –, un pilier de départ couronné d'une urne à l'antique précédant une succession de balustres ajourés réunis par une guirlande à double face de feuilles de chêne et de glands, que l'on retrouve sur les deux pavillons ; il est la fierté de l'architecte qui lui donne tous ses soins car il est le prologue du bel appartement du premier étage.

Une partie des meubles et objets du musée datant du XVIIᵉ et du début du XVIIIᵉ siècle est présentée dans ce premier lieu et provient en partie du fonds du musée d'Art ancien : ainsi, un *Portrait en médaillon de Louis XIV* (fig. 2) en cuir repoussé sur une âme de noyer, ou cette série, exceptionnelle par sa rareté, sa préciosité et son état, de six gobelets avec leurs soucoupes et sucrier en émail peint polychrome de Limoges, signé au revers Jacques II Laudun (vers 1653 - 1729), sur le thème des femmes fortes d'après Claude Vignon (fig. 6).

Le *Portrait de Marianne de Baritault, dame de Terrefort* (fig. 4), daté de 1648 et attribué à Guy François (1580 - apr. 1650), rend hommage à une des plus anciennes familles d'Aquitaine (don des Amis du musée d'Art ancien, 1933) ; sa bouche cerise, son extraordinaire coiffure faite de petites plumes multicolores et ses mouches savamment posées lui donnent beaucoup de charme. Une autre ancienne famille bordelaise est illustrée avec un *Portrait du jurat Jehan de Gères, seigneur de Carmasac*, daté de 1616, donné en 1971 par le professeur François-Georges Pariset, directeur de l'Institut d'histoire de l'art de Bordeaux (dépôt du musée des Beaux-Arts de Bordeaux, 2002).

La présence de la Flandre est importante à Bordeaux au XVIIᵉ siècle en raison des relations portuaires avec la mer du Nord ; une grande tapisserie bruxelloise

20

2

2. *Portrait en médaillon de Louis XIV*, anonyme, fin XVIIe siècle

3. *Triomphe d'un empereur romain*, tapisserie, Bruxelles, début XVIIe siècle

4. François Guy (attribué à), *Marianne de Baritault, dame de Terrefort*, 1648

3

IANNE·DE
BARITAVLT
1648

DAME·DE
TERRE
FORT

4

du début du XVIIᵉ siècle, de haute lice, sur le thème du triomphe d'un empereur romain, peut-être Scipion (fig. 3) (legs Brandenburg, 1890), accompagne un petit cabinet à poser, portatif grâce à des poignées latérales, en placage d'ébène et d'ivoire gravé (Anvers, autour de 1610), destiné au rangement d'objets précieux dans ses nombreux tiroirs (legs Périé, 1945).

En placage d'ébène lui aussi, un grand cabinet monté, meuble d'ébénisterie française de la première moitié du XVIIᵉ siècle, montre dans son intérieur (fig. 5) un espace aménagé à la façon d'un petit théâtre à l'italienne, richement marqueté de bois polychrome : orme, ébène, érable, acajou, ivoire blanc et teinté vert. Une perspective feinte avec des points de fuite et un jeu de quatre miroirs créent l'illusion d'une chambre en rotonde ; le collectionneur de curiosités pouvait déposer un objet et le contempler par réflexion sous toutes ses faces (don Évrard de Fayolle, 1911). Deux chaises pliantes dites « perroquet », d'origine flamande de la première moitié du XVIIᵉ siècle (legs Lataillade, 1969), entourent

5

ce meuble sur lequel sont posées des faïences stannifères italiennes dites « majoliques » (legs Périé, 1945).

Parmi les œuvres bordelaises, un grand dessin, signé et daté *A. Marolles fecit 1738*, montre une vue agrandie de la place Royale à Bordeaux supposée terminée (legs Mme A. Marquet, 1980). Une horloge au sol en gaine, chantournée (don des Amis de l'hôtel de Lalande, 2002) et une table de milieu en acajou de Cuba, chantournée, aux pieds de bouc, couverte d'un marbre griotte rouge (dépôt du CHU de Bordeaux, 2004), sont des exemples du mobilier portuaire bordelais du XVIIIe siècle (cf. p. 30-31).

Des années 1740, en bois de chêne sculpté et doré, un guéridon porte-lumière bordelais est d'une grande élégance avec ses motifs louis-quatorziens un peu attardés, spécifiques des foyers de création artistiques régionaux (fonds ancien) (fig. 7).

Enfin, un canapé foncé de canne, sans doute parisien (premier tiers du XVIIIe siècle), en hêtre sculpté de coquilles symétriques prolongées de rinceaux d'acanthes sur un motif de treillis (don des Amis de l'hôtel de Lalande, 2004), rappelle la fonction de ce vestibule qui était d'accueillir et de faire asseoir les visiteurs de l'hôtel en attendant leur réception dans les antichambres.

PREMIÈRE ANTICHAMBRE

Pièce de transition entre le monde extérieur et le monde de la vie privée, elle est parfois nommée « antichambre de la livrée » parce que les valets y attendent les ordres ; mais c'est aussi une salle de réception où l'on fait attendre ceux qui vont être reçus et où l'on reçoit ceux qui n'iront pas plus loin. Le mobilier traditionnel était composé de banquettes, de tabourets et d'armoires servant de vestiaire.

5. Cabinet monté ouvert,
France, milieu XVIIᵉ siècle

6. Dos d'une soucoupe en émail
polychrome de Limoges,

de Jacques II Laudun
(vers 1683 - 1729)

7. Guéridon porte-lumière
bordelais des années 1740

6

7

Cette antichambre est aujourd'hui dédiée à un chef-d'œuvre du développement de l'urbanisme à Bordeaux au XVIIIᵉ siècle, le Grand-Théâtre, inauguré en 1780, contemporain de l'hôtel de Lalande ; Victor Louis (1731 - 1800), architecte parisien, en est l'auteur. Le péristyle, qui occupe la façade du Grand-Théâtre, est animé au-dessus de la balustrade de douze statues en pierre, de 2,30 m de hauteur, représentant neuf muses et trois déesses, dues au sculpteur Pierre-François Berruer (1734 - 1797). En 1777, l'artiste envoie les maquettes d'étude en terre cuite ; des plâtres sont réalisés dont le musée conserve sept exemplaires (fig. 8). L'intérieur du Grand-Théâtre est évoqué par les sièges d'une loge, datant des années 1790 ; il peut s'agir de la commande d'un notable bordelais, désireux de posséder dans sa loge un mobilier élégant et à la mode, rappelant le style de l'ébéniste parisien Georges Jacob (don du Grand-Théâtre, 1929).

24

8. Plâtres des statues de la façade
du Grand-Théâtre de Bordeaux, 1777,
d'après Pierre-François Berruer

JEAN-BAPTISTE LEMOYNE Paris, 1704 - *id.*, 1778

Jean-Baptiste II Lemoyne est l'auteur de deux pièces maîtresses, importantes pour l'histoire de Bordeaux, considérées comme des chefs-d'œuvre de la sculpture française du XVIIIᵉ siècle. Formé par son père Jean-Louis Lemoyne (1665 - 1755), Jean-Baptiste gravit tous les échelons de l'Académie et devient directeur en 1768, de nombreuses commandes ayant assuré sa réputation.

Modello du groupe équestre de Louis XV, 1773 (dépôt ancien du musée des Beaux-Arts de Bordeaux) (fig. 9).
En 1766, les jurats décident de faire exécuter par Lemoyne la réduction en bronze (hauteur 72 cm) du groupe équestre de Louis XV, monument érigé sur la place Royale de Bordeaux en 1743, afin de l'offrir au roi. Quatre exemplaires étaient prévus, le premier fut livré au roi en 1769 et le second arriva à Bordeaux en 1773.
La réduction diffère légèrement du modèle original reproduit par la gravure de N. G. Dupuis (1698 - 1771) et Ch. N. Cochin (1715 - 1790) (dépôt des archives municipales de Bordeaux, 1955) ; le bras droit du souverain, au lieu d'être étendu et de tenir le bâton de commandement, signe de victoire en 1743 – lesquelles victoires ornaient les bas-reliefs du socle, sculptés par Francin, aujourd'hui conservés au musée d'Aquitaine de Bordeaux –, est plié avec la main ouverte, en 1773, comme celle d'un roi soucieux du bien-être de son peuple. En août 1792, le groupe monumental fut détruit.
Comme les trois autres exemplaires ne sont pas localisés aujourd'hui, la réduction de Bordeaux reste

un témoignage précieux de l'œuvre de Lemoyne, un Louis XV chevauchant à l'amble, vêtu en empereur romain et coiffé « à la française » au milieu de la place Royale à Bordeaux, un moment de perfection.

Buste de Charles de Secondat, baron de La Brède et de Montesquieu, 1767 (dépôt ancien du musée des Beaux-Arts de Bordeaux) (fig. 10).
Toujours en 1766, le prince de Bauveau, gouverneur de Guyenne, commande à Jean-Baptiste Lemoyne ce beau marbre, haut de 81 cm, pour l'offrir à l'Académie de Bordeaux dont il est membre depuis peu. Il s'agit d'un portrait posthume (Montesquieu décède en 1755) que le sculpteur

exécute d'après la médaille de Jacques-Antoine Dassier, gravée *ad vivum* en 1752. J.-B. Lemoyne s'est déjà distingué à Bordeaux en exécutant le groupe équestre de Louis XV, inauguré en 1743, et il n'est pas étonnant qu'on fasse appel à lui. Sans perruque, le col ouvert, enveloppé dans un drapé à l'antique, Montesquieu a un regard aigu et ironique, tempéré par l'humanité de son sourire, évitant ainsi la froideur habituelle des effigies rétrospectives ; même Diderot, qui vit le buste au Salon de 1767 et n'appréciait guère Lemoyne, lui trouva du « goût ».

9

10

Né au château de La Brède, près de Bordeaux, en 1689, écrivain et philosophe, Montesquieu est une des gloires de Bordeaux, comme Montaigne au siècle précédent. Président à mortier au Parlement de Bordeaux en 1716, il s'intéresse surtout à l'histoire et à la philosophie politique – *De l'esprit des lois* (1748) ; il se dévoile dans ses notes comme un homme du Sud-Ouest, aimant son climat et son vin, qu'il cultive.

9. *Modello du groupe équestre de Louis XV*, 1773, de Jean-Baptiste Lemoyne

10. *Buste de Montesquieu*, 1767, de Jean-Baptiste Lemoyne

SECONDE ANTICHAMBRE

Appelée aussi « salle d'assemblée », elle amorce la suite de quatre pièces en enfilade sur le jardin, communiquant par des portes doubles qui permettent d'embrasser d'un seul coup d'œil la perspective intérieure (fig. 18). C'est un petit salon avec une cheminée en brèche violette de style Louis XV et son parquet d'origine à compartiments, chêne et acajou. L'acajou et les autres bois exotiques, très présents dans le mobilier bordelais du XVIIIe siècle, proviennent de l'essor foudroyant du commerce de Bordeaux avec les Antilles à cette époque (cf. p. 30-31). On pouvait déployer dans cette pièce des petits meubles « volants », comme des tables à jouer, au gré de la passion du jeu, si répandue en cette fin de siècle, ou encore des instruments de musique, compagnons de la vie quotidienne.

Aujourd'hui, cette seconde antichambre conserve des meubles et des objets de la première moitié du XVIIIe siècle, pour la plupart bordelais (fig. 11). Une grande armoire (dépôt du musée des Arts décoratifs de Lyon, 2001), réalisée en acajou moucheté, à haut couronnement, domine la pièce et présente une façade plane divisée en deux panneaux symétriques dans des cadres fortement moulurés ; la généreuse sculpture Régence de la façade et des montants est alliée à un motif naturaliste de corbeille d'osier au sommet du cintre ; à l'intérieur, la serrure « à bascule » et la tige ondée en fer forgé sont spécifiques du travail bordelais (cf. p. 80-81). Des années 1700, une table à entretoise, aux piètement et ceinture en bois « des Isles » (acajou et palissandre), est considérée comme le plus ancien meuble portuaire du musée (cf. p. 30-31) ; le plateau est traité en marqueterie avec rubans de palissandre et compartiments de ronce de noyer et loupe d'orme (legs Bonie, 1895).

11. Seconde antichambre du rez-
de-chaussée de l'hôtel de Lalande

12. Pot d'apothicairerie
« C. Hiacinte », faïence stannifère,
manufacture de Jacques Hustin,
Bordeaux, 1715 - 1730

11

Sans doute provincial, un fauteuil bas (don Mme Maurice de Luze, 1925), des années 1730-1740, a son origine dans la « chauffeuse » du XVIe siècle ; près d'une cheminée, elle servait à la nourrice pour les nouveau-nés. En noyer sculpté et laqué, il est recouvert d'une tapisserie au petit point, garniture d'époque restaurée grâce aux Amis de l'hôtel de Lalande en 2000 ; son ampleur un peu monumentale est adoucie par l'accolade du dossier, le retrait des supports d'accotoir, les pieds galbés enroulés et son beau décor sculpté symétrique Régence.

Deux grandes vitrines présentent la collection des pots d'apothicairerie provenant des manufactures bordelaises de Hustin et de Boyer (cf. p. 42-43). Les pots de pharmacie constituaient à Bordeaux, comme ailleurs, une part importante de la production faïencière du XVIIIe siècle ; ils sont d'abord des objets fonctionnels avant d'être des objets d'art. La faïence stannifère, opaque et d'une bonne inertie chimique, a été utilisée d'abord par les Arabes pour la bonne conservation des drogues. Bien des détails de forme découlent de leur placement dans l'apothicairerie et d'une préhension facile ; de même, les inscriptions dans les cartouches remédiaient à tout risque de confusion. Les pots de Bordeaux sont caractérisés par une forme balustre et un cartouche rectangulaire, mais leurs décors sont diversement influencés par les autres centres. Le grand pot « C. Hiacinte » (fig. 12) de la manufacture de Jacques Hustin (vers 1715 - 1720), est un des plus beaux spécimens. Dans un décor de grand feu en camaïeu bleu, il emprunte à Nevers le tracé des palmettes,

le feuillage stylisé et la vigueur des serpents mouchetés, à Moustier le motif louis-quatorzien de la figure féminine encadrée de rinceaux, et à Toulouse, le dessin des raisins vrillés. Le musée des Arts décoratifs est riche de quatre-vingt-six pots de pharmacie qui proviennent essentiellement du fonds du musée Carreire acheté par la Ville en 1909, du don Évrard de Fayolle de 1911, et des legs Pelleport-Burète de 1931, Périé de 1945 et Chalus de 1960.

12

MEUBLES PORTUAIRES DE BORDEAUX XVIIe-XIXe siècles

Dès le début du XVIIIe siècle, les ébénistes et les menuisiers des ports français de l'Atlantique utilisent en massif des bois exotiques de grande qualité, grâce au commerce triangulaire avec l'Afrique et les Antilles.

À Bordeaux, une corporation de maîtres menuisiers-ébénistes nomme cent vingt maîtres de 1754 à 1782 ; mais les meubles n'étant pas estampillés, il est impossible de les attribuer à l'un ou l'autre et même quelquefois de les différencier de ceux des autres ports de l'Atlantique. Cependant, quelques traits communs ont été relevés grâce à ceux qui sont encore dans les vieilles maisons bordelaises et aux inventaires après décès qui ont permis d'établir une typologie liée au mode de vie des Bordelais ; une vingtaine de ces meubles est conservée au musée.

Cette production relève avant tout du style Louis XV mais, dans le dernier tiers du XVIIIe siècle, on voit se côtoyer, comme d'ailleurs dans la plupart des centres régionaux, des éléments rocaille et néoclassiques avec, ce qui est particulier à Bordeaux, des détails naturalistes. L'autre caractéristique est l'absence du travail de la marqueterie, à

peine de temps en temps la forme d'une rose des vents. Le palissandre, le bois de rose, le gaïac de Cayenne, l'amarante, l'ébène, le bois de citron et l'acajou dit de Cuba sont les variétés les plus rencontrées dans les meubles de port bordelais. Par rapport à Nantes, qui reçoit les mêmes bois à la même époque, c'est la conception du décor et l'usage qu'en feront les propriétaires qui les différencient ; ainsi le meuble nantais est sobre, un peu sévère, fait avant tout pour servir ; le bordelais se veut riche, exubérant, fait pour paraître ; pour qui pardonne ses excès, il s'agit des plus beaux meubles de port jamais réalisés. Trois modèles avec leurs dérivés ressortent ; l'armoire-présentoir, toujours en acajou, quelquefois moucheté, est très importante de proportions ; une corniche cintrée « en chapeau de gendarme » domine une traverse haute, sculptée souvent de motifs floraux et d'une sculpture en ronde bosse. Les vantaux sont des exercices de style pour les sculpteurs avec les traverses hautes,

médianes et basses, décorées de motifs floraux ou godrons, rinceaux en rocaille ; à la base, une large corniche repose sur des pieds en « griffon » ou en volute surchargée de motifs sculptés ; quelquefois les côtés arrondis sont des portes qui donnent sur des rayons où on pouvait ranger les verres. L'armoire bordelaise dépasse souvent son rôle de lingère en devenant un meuble d'apparat qu'on laisse ouvert en permanence pour présenter sur des étagères fines et découpées de l'orfèvrerie, de la faïence ou de la porcelaine ; au tiers inférieur est incorporé un véritable buffet de rangement à deux portes (fig. 20). Il n'est pas étonnant de trouver à l'intérieur des portes un système de serrurerie dit « à bascule » avec une serrure en fer très ouvragée commandant deux tiges dont les points de fixation sont décorés de motifs rocaille en fer forgé (cf. p. 80-81) ; par contre, les entrées de serrure sont en général réduites ; ce modèle sera aussi reproduit en noyer ou en merisier. L'armoire-lingère présente les mêmes traits stylistiques avec simplement à l'intérieur des étagères et des tiroirs.

13

La commode bordelaise s'inspire du modèle « en tombeau », né à l'époque Régence ; on rencontre souvent, et c'est le cas sur celle du musée (fig. 54), les deux acajous, clair et foncé, employés simultanément. Trois rangs de tiroirs inégaux en hauteur sont séparés par des traverses apparentes rectilignes. Le tiroir unique du deuxième rang se « gonfle » exagérément ; le troisième et dernier rang amorce en façade un rétrécissement concave qui marque toute la base du meuble sur des pieds très courts en volute ; les mains de tirage et les entrées de serrure sont en bronze doré, seule décoration, souvent à motifs de rocaille. Le dessus de marbre laisse place à un plateau de bois. Dérivée de la commode, dont elle a le corps, la commode-secrétaire a un dessus en pente s'ouvrant par un battant qui découvre tiroirs et niches en dégradé. Plus bordelais, le scriban (fig. 33) – le modèle est importé au milieu du XVIIIe siècle d'Angleterre ou des Pays-Bas, ce qui semble naturel à cause des échanges commerciaux de Bordeaux avec ces deux pays – est par excellence le meuble du négociant bordelais pendant deux siècles. Il se compose d'une commode-secrétaire sur laquelle s'ajoute un corps d'armoire à deux portes de même époque ou parfois plus tardif avec, à l'intérieur, une fermeture à bascule, crémone et espagnolette montée sur platine découpée (fig. 46).

La table « à cabaret » est le troisième meuble portuaire spécifique de Bordeaux quand elle est en acajou. À Paris, elle est un chef-d'œuvre d'ébénisterie avec des plateaux en laque, en marbre ou encore en plaque de porcelaine de Sèvres assortie au service à café ou à thé qu'elle porte en permanence. À Bordeaux, elle est un meuble de menuiserie ; son plateau en bois massif d'acajou est creusé en cuvette afin de dégager le rebord du pourtour ; à l'époque Louis XV, les pieds sont galbés et la ceinture chantournée reçoit un décor sculpté ; à la fin du siècle, les cannelures dominent dans un style Louis XVI simplifié.

D'autres meubles du musée en acajou, comme des horloges ou tables de milieu, appartiennent aussi au mobilier portuaire, sans en être spécifiques.

13. Détail

14. Armoire lingère bordelaise, vers 1790

14

15. *La Jeune Amérique*, Anonyme, fin XVIII siècle

16. Salon de compagnie

SALON DE COMPAGNIE

C'est la plus belle pièce de l'hôtel, la plus éclairée grâce à ses trois portes-fenêtres et la plus richement décorée pour recevoir amis et hôtes de marque à l'occasion des festivités comme des bals, concerts, thés, jeux... Une partie du décor est parvenue jusqu'à nous. Le parquet à compartiments tout d'acajou sombre chaudement moiré est exceptionnel. La cheminée en marbre rouge veiné est d'un style Louis XV attardé avec un cartouche ailé garni d'instruments de musique, surmontée d'une glace et d'un décor allégorique : les attributs de la Musique, lyre et hautbois, et ceux de la Réflexion, un serpent enroulé autour d'un miroir. En face, au-dessus de la console, le décor est repris à l'identique mais présente les armes de l'Amour, un carquois rempli de flèches avec un arc et un flambeau. Enfin, au-dessus des portes, la sobriété des entablements sur consoles se pare de rinceaux feuillagés et de scènes d'enfants peintes en grisaille, trompe-l'œil à l'imitation des bas-reliefs antiques, évoquant l'enfance de Bacchus en hommage au vin, une des richesses de Bordeaux.

Ce décor fixe était accompagné d'un ensemble de sièges et de petits meubles utilisés selon les habitudes de la vie quotidienne : petites tables pour écrire, lire, jouer, déguster une collation. Une grande importance était portée aux tissus qui complètent toute décoration raffinée : ceux des rideaux et du « meuble », c'est-à-dire l'ensemble des sièges de la pièce, devaient former un tout par leurs coloris et leurs galons.

Sous l'éclairage d'un lustre central à monture de bronze doré et pendeloques de cristal taillé du XVIII siècle (achat de la Ville, 1955), trois consoles néoclassiques, dont le marbre brèche est assorti à celui de la cheminée, sont les seules à faire partie du mobilier d'origine de l'hôtel, sans doute dessinées, comme les lambris, par l'architecte du bâtiment, Étienne Laclotte. Quatre fauteuils cabriolets, estampillés *G. Avisse*, menuisier parisien, maître en 1743 (legs Bonie, 1895), une paire de fauteuils en médaillon,

15

estampillés *C. Séné*, menuisier parisien en activité de 1743 à 1780 (legs Giovetti, 1985) et une paire de fauteuils à la reine estampillés *P.F. Jean*, menuisier parisien admis à la maîtrise en 1784 (don Précoul, 1993), accompagnent des meubles « volants ». Citons une table à cabaret en acajou, du milieu du XVIIIe siècle, dont le plateau de bois, creusé en cuvette afin de dégager le rebord du pourtour, est destiné à recevoir la vaisselle des boissons chaudes et exotiques à la mode ; le mot cabaret a été, dès la fin du XVIIe siècle, appliqué à un plateau puis à l'ensemble des pieds solidaires et du plateau, appelé « cabaret sur pieds » ou « table à cabaret » ; celle-ci a un décor sculpté sur toutes les faces de coquilles encadrées de rinceaux fleuris symétriques ; c'est un classique du mobilier portuaire (cf. p. 30-31). La table à crémaillère à la Tronchin (don Précoul, 1993), des années 1780, en acajou blond, est aussi un exemple de ces petits meubles à fonctions combinées, surtout dans le domaine du meuble à écrire ; le « pupitre élévatoire et inclinable » inventé par Joseph Canabas en 1766, est nommé « à la Tronchin » en référence au célèbre médecin genevois Théodore Tronchin (1709 - 1781), connu dans l'Europe entière, qui prônait la bonne hygiène physique et notamment une attitude physiologique pour écrire, lire ou dessiner, avec un plateau réglable en hauteur. Cette table, attribuée à Joseph Stockel, maître en 1775, est d'un grand raffinement tenant à la pureté des lignes et au soin apporté à son aménagement.

Le salon de compagnie est aussi un salon de musique. Une harpe (don des Amis de l'hôtel de Lalande, 2004) (fig. 16), en érable laqué polychrome et doré de la fin du XVIIIe siècle, décorée de motifs chinois, porte sa marque sur la table d'harmonie : *Challiot/FB Martin 183 Paris* ; fine et ravissante, sa hauteur de 1,60 m la

destine plutôt à une femme, à l'image de la reine Marie-Antoinette jouant dans le salon du Petit Trianon.

Le buste anonyme de *La Jeune Amérique* (legs Pelleport-Burète, 1930), longtemps l'image de marque du musée, est posé sur la cheminée et provient de l'hôtel Fenwick de Bordeaux, premier consulat des États-Unis ; il rappelle que Bordeaux est, à la veille de la Révolution, le premier port français pour le commerce avec ce nouveau pays (fig. 15).

La porcelaine de Chine, dite porcelaine de la Compagnie des Indes XVIIe-XVIIIe siècles

Dès la fin du VIIIe siècle, la porcelaine apparaît en Chine ; au XVIe siècle, elle est introduite en Europe, fascinée par cette céramique translucide et éclatante à la composition inconnue. Les céramistes chinois vont alors fabriquer de la porcelaine pour l'Europe qui sera appelée improprement « porcelaine de la Compagnie des Indes », du nom des compagnies commerciales qui assuraient le transport, les Indes désignant à cette époque tous les pays situés à l'est du Proche-Orient et de la Perse.

Les porcelaines exportées étaient imparfaites, distinctes de celles qui étaient destinées à l'empereur, à la Cour et au marché chinois. Grâce à leur décor souvent commandé par les Européens, elles témoignent d'un art composite mi-chinois, mi-européen.

La première compagnie de transport française fut formée par Colbert et la dernière fut supprimée par la Constituante en 1790. Dès 1765, après la découverte de gisement de kaolin de Saint-Yrieix, près de Limoges, la fabrication de la porcelaine dure française s'imposa et fit concurrence au commerce chinois tandis que s'établissaient des manufactures un peu partout en France, dont à Bordeaux (cf. p. 51).

17. Assiette en porcelaine de Chine de commande, milieu du XVIIIe siècle, décor dit « à la Pompadour »

17

La collection bordelaise, provenant en majeure partie des legs Bonie (1895), Brandebourg (1940) et Périé (1945), compte cent cinquante-neuf pièces. Les plus anciennes de la famille verte – à dominante d'émaux verts – datent du règne de Kangxi (1662 - 1722) : assiettes et plats au « panier fleuri », aux phénix, papillons et volatiles branchés... Sous le règne de Qianlong (1736 - 1795), les émaux roses s'imposent avec les décors « Pompadour » (au poisson), les bouquets de jetés de fleurs, les coqs.

Parmi les pièces de commande, la paire de grands vases couverts en urne, posée sur la cheminée du salon de compagnie, est l'exemple le plus rare d'un décor d'« image séditieuse » circulant clandestinement sous la Révolution (cf. p. 104) : une urne funéraire ombragée d'un saule pleureur délimitant les profils cachés de Louis XVI et Marie-Antoinette (legs Lataillade, 1969) (fig. 16).

18. Enfilade des salons du rez-de-chaussée de l'hôtel de Lalande

JEAN-BAPTISTE PERRONNEAU Paris, 1745 - Amsterdam, 1783

Obligé de courir la province et l'Europe à la recherche d'une clientèle que le renom de son rival La Tour ne lui permettait pas de trouver à Paris, le pastelliste Perronneau vint à Bordeaux à six ou sept reprises, la première fois en 1748 quand il portraiture les époux Olivier. Une quarantaine d'œuvres ont été répertoriées ; le *Portrait du chevalier de Camiran* (don Henri Cruse, 1923) (fig. 19) – Léonard de Magence de Camiran, chevalier, vicomte de Fontcaude, seigneur de Camiran, né en 1725, premier jurat de la noblesse en 1768 et chevalier d'honneur à la cour des Aides de Guienne en 1776 – est signé mais non daté ; l'année 1756 est possible en raison de l'âge apparent du modèle, de son habillement et du séjour attesté de Perronneau à Bordeaux à cette époque.

La juxtaposition des coloris sur le visage que l'on observe sur ce portrait, propre à la technique de Perronneau, donne un accent d'une vérité un peu rude au modèle, ce qui explique la réticence d'une clientèle de la Cour ; mais son utilisation du clair-obscur et des reflets fait de lui un coloriste brillant ; ici, une symphonie de gris et de jaunes où l'or s'harmonise avec le bleu des tissus et les teintes cuivrées du fond. Le musée des Arts décoratifs expose trois autres portraits bordelais de

19

Perronneau : deux dépôts (2000 et 2004) du musée des Beaux-Arts de Bordeaux, *Martille Corrégeolles*, 1768 et *Le Conseiller du Mas de la Roque*, 1768 (une huile) et un dépôt (2003) de collectionneurs privés, *Madame de Parouty*, 1767.

19. Jean-Baptiste Perronneau, *Portrait du chevalier de Camiran,*1756

SALLE À MANGER

Éclairée par trois fenêtres sur la cour, elle fait face
et suite au salon de compagnie. C'est sous Louis XV
que se précise peu à peu l'usage d'une pièce destinée
aux seuls repas. L'hospitalité fastueuse que prati-
quaient les familles aristocratiques et les riches négociants de la ville, si souvent notée par les voyageurs
étrangers, explique en partie les vastes proportions et
la place de choix données à la salle à manger dans
l'hôtel de Lalande.

Les boiseries sont sobres ; seules de discrètes grappes
de raisin – motif souvent associé à la salle à manger
et surtout à Bordeaux – sont sculptées au-dessus des
deux éléments cintrés des murs et s'associent au décor
d'origine du poêle dans sa niche peinte en faux marbre ;
sa colonne de faïence blanche en forme de palmier
est enguirlandée de pampres et flanquée d'un amour
et d'une petite fille en terre cuite (fig. 22), un hommage
aux deux grandes sources de richesse des Bordelais à
cette époque, le vin et le commerce avec les « Isles ».
Ce poêle est aussi un objet de confort, diffusant dans
la salle à manger une chaleur douce et continue. Une
fontaine à vin de la manufacture de Hustin présente
Bacchus enfant assis sur un tonneau porté par quatre
dauphins hilares au corps jaspé, rappelant encore la
prééminence de la présence du vin à Bordeaux (fig. 25).

La faïence et la porcelaine bordelaises (cf. p. 42-43
et 51) rivalisent sur la table selon les repas, d'apparat
ou entre familiers ; les pièces d'orfèvrerie (cf. p. 40)
donnent de l'éclat à leur harmonie colorée, le soir, éclai-
rées à la flamme dansante des bougies des candélabres
posés sur la nappe (fig. 20). Parmi les objets typiquement bordelais, le rafraîchissoir individuel ou rince-
verre porte une encoche pour recevoir la jambe du
verre ; rempli d'eau, il permettait de rincer son verre

20

FAÏENCE DE BORDEAUX XVIIIᵉ siècle

La faïence bordelaise du XVIIIᵉ siècle est une faïence stannifère, poterie rendue imperméable par l'émail opaque d'oxyde d'étain dont on la recouvre et qui devient blanc à la cuisson ; le décor peint de couleurs composées d'oxydes métalliques est posé sur l'émail cru selon la technique du « grand feu », la seule pratiquée à Bordeaux (cf. p. 53) ; la collection compte trois cent cinquante pièces.

Son étude est délicate, en l'absence à peu près totale de toute signature ou marque de fabrication, mais l'histoire de ses manufactures est plus simple puisqu'un seul établissement fut prospère et important. Il s'agit de la manufacture de Hustin qui couvre le siècle et qui, grâce aux appuis de son fondateur, Jacques Hustin, acquiert le privilège d'une protection royale qui durera jusqu'en 1762, interdisant tout autre établissement à Bordeaux et sur un vaste périmètre autour de la ville. En 1714, la manufacture de Hustin commence à fonctionner, établie près du Jardin royal, Jardin public aujourd'hui. Les premiers ouvriers sont aussi bien de Nevers que de Moustiers, Montpellier ou encore Rouen, Delft, d'où la complexité à retrouver un style propre. À la mort de Jacques Hustin en 1749, son fils Jacques-Ferdinand lui succède puis, en 1778, sa belle-fille qui maintient l'activité de la faïencerie jusqu'en 1783.

Dès 1762, à l'expiration du privilège de Hustin, des faïenciers, quelquefois passés par cette manufacture, s'installent : Jean Robert en 1764, Charles Antoine Boyer de Montpellier en 1765, de Montpellier aussi Louis Rougé en 1767, Claude Clérissy en

1771 et, en 1786, à Cenon, la petite faïencerie de Cypressat.

Le style bordelais est difficile à cerner et s'inspire inévitablement des grands types de décors des autres manufactures françaises : les Bérain de Moustiers, les lambrequins de Rouen, le style « Savone » de Nevers, le naturalisme, l'imitation de Delft et de la porcelaine chinoise d'exportation ; ce mélange inextricable est la caractéristique essentielle de la faïence bordelaise. On peut citer quelques poncifs, celui « à la pagode » créé à Rouen et transformé d'une manière originale à Bordeaux ou encore celui de la « Camargo » de Marseille, très fantaisiste dans la production bordelaise. Il faut souligner cependant

trois originalités : la lourdeur et l'épaisseur des pièces, une palette polychrome réduite, aux couleurs de grand feu un peu éteintes – bleu, vert olive, mauve de manganèse, orange ocré –, et des rapports de forme avec l'orfèvrerie et la poterie d'étain plus sensibles à Bordeaux qu'ailleurs. On retrouve ces caractéristiques dans une série de services – les premiers datent de 1720 et les derniers de 1750 – commandée à Hustin par la chartreuse de Bordeaux ; l'inscription « Cartus Burdig » pour *Cartusia Burdigalensis* (chartreuse de Bordeaux) souligne chaque pièce, ce qui dans l'anonymat de la production est appréciable ; les armoiries des fondateurs bienfaiteurs de

23

22. Colonne de poêle de
la salle à manger

22

entre deux dégustations de vin. Dans l'armoire en acajou (cf. p. 30-31), une disposition interne des portes spécifique à Bordeaux – un système de fermeture « à bascule » en fer forgé aussi décoratif que commode – permet de présenter dans les deux tiers supérieurs d'autres pièces de vaisselle et d'orfèvrerie (fig. 20) et, dans le tiers inférieur, de les ranger dans un meuble (dépôt du musée d'Aquitaine, 1973). La console servante bordelaise, en acajou massif et en placage, amarante, bois de citron et ébène (legs Astruc, 1953), est particulièrement élégante et fonctionnelle pour le service de table. Ce meuble a été mis à la mode

ORFÈVRERIE DE BORDEAUX XVIIIᵉ siècle

Au XVIIIᵉ siècle, l'orfèvrerie est autant
une forme de thésaurisation que de
prestige pour l'aristocratie française ;
les grandes pièces ostentatoires ou
la vaisselle de table concourent au bien
vivre et au bien paraître, à Bordeaux
particulièrement qui a la réputation
d'être une ville hospitalière où
l'on vivait bien et où l'on aimait
recevoir avec une table généreuse.
Au XVIIIᵉ siècle, l'orfèvrerie est aussi
le symbole par excellence de l'ascension
sociale pour un bourgeois. Enfin, c'est
un domaine particulier et instable car
les métaux précieux ont souvent été
portés à la fonte, aussi bien pour
des raisons économiques que pour
des changements de mode.
En 1785, cinquante-trois maîtres
orfèvres sont répertoriés à Bordeaux et
dans sa généralité, un des trois centres
provinciaux les plus actifs avec Toulouse
et Strasbourg. Grâce aux poinçons,
la différenciation entre les centres et
les orfèvres eux-mêmes, ainsi que
la datation sont facilitées. Ils sont
de quatre sortes : un poinçon de
signature, un poinçon de charge qui
identifie la ville, « K » pour Bordeaux,
un poinçon de jurande avec une lettre-
date, et un poinçon de décharge
qui atteste le paiement des droits et
permet la vente.
Le style bordelais est marqué avant tout
par le classicisme et la simplicité
du goût, mais l'exemple parisien est suivi
comme dans d'autres domaines ; citons
le cas des anses des écuelles bordelaises,
inspirées par le modèle du Parisien
Sébastien Leblond au moment de
la naissance du Grand Dauphin en 1690.
Les pièces les plus représentatives sont

21

dépendantes de l'usage à Bordeaux
des boissons exotiques, le café et
le thé plus que le chocolat, et
de l'engouement pour le sucre en raison
du commerce avec les Antilles :
verseuses, sucriers et pinces à sucre
sont courants, de même que toutes
celles ayant un rapport avec le service
du vin, comme la tasse et son large
ombilic permettant de le « mirer ».
Le classicisme du style n'exclut pas
quelques fantaisies ou détails parfois
originaux ; ainsi les galbes des sucriers
qui rappellent le profil des commodes
bordelaises en acajou, un escargot posé
sur un cep de vigne à la prise
d'un couvercle ou les têtes de canard
au bout des becs verseurs (fig. 21).
Les grands orfèvres de Bordeaux sont
présents à travers les dynasties des
Lalanne, Jouet, Mestre, Ducoing, Tillet
mais aussi avec Antoine Dutemple,
Gabriel Faurie, Jacques Roux ou Jean-
Michel Hubschmann ; une cinquantaine
de pièces sont inventoriées aujourd'hui.
Les dons des Servan, famille de
marchands orfèvres installés à Bordeaux
depuis 1840, des Établissements Duclot
(1984, 1985) et surtout ceux des Amis

de l'hôtel de Lalande, particulièrement
généreux entre 1985 et 2005, sont
les plus notables et ont donné à cette
collection une richesse que mérite ce
domaine de l'art décoratif à Bordeaux.
D'autres pièces du XVIIIᵉ siècle, surtout
d'origine parisienne mais ayant
appartenu à des familles bordelaises,
complètent la collection ; citons parmi
les plus belles une cafetière à décor de
côtes torses et couvercle en houppe
(1752 - 1754) de J. Hanappier, orfèvre à
Orléans, une écuelle à bouillon (1774 -
1775) de l'orfèvre parisien A. Deroussy
le Jeune et la chocolatière parisienne
(1783 - 1784) de J. Th. Vancombert à
décor de côtes torses, toutes les trois
données par André Servan en 1935 ;
le somptueux service de toilette
parisien (1749 - 1750) de J.-Ch. Fauché,
complet et de style rocaille, est un don
de la comtesse de Marcellus-Froment
en 1955, et ne peut se comparer à
la simplicité de la toilette (1775 - 1776)
du bordelais Antoine Dutemple (legs
Bonie, 1895).

21. Théière en argent, 1769-1770, de l'orfèvre
bordelais Gabriel Mestre

20. Table dressée avec un service
« à la rose manganèse » en
faïence stannifère de l'orfèvrerie
de Bordeaux du XVIIIe siècle

par les grands ébénistes parisiens des années 1790 et a rencontré une grande faveur dans la région de Bordeaux. Le beau profil des montants fuselés témoigne de la dextérité des tourneurs qui ont un rôle important en cette fin de siècle.

En acajou aussi, une horloge au sol en gaine, au fronton interrompu, est exemplaire du travail régional et de ses hésitations stylistiques, entre les réminiscences baroques et le néoclassicisme naissant (don des Amis de l'hôtel de Lalande, 1990).

la chartreuse, l'archevêque François de Sourdis et la famille parlementaire des Gascq, sont présents sur la quarantaine de pièces acquises (fig. 24).
La plupart des pièces proviennent des legs Bonie (1895), Pelleport-Burète (1930), Périé (1945), Chalus (1960), Gérard Cruse (1997), des dons Évrard de Fayolle (1911), des Amis de l'hôtel de Lalande (1987, 1989, 1991 et 1992) et d'une dation de 1978.

25. Fontaine à vin au Bacchus enfant, faïence stannifère de Bordeaux, XVIIIᵉ siècle

23. Plat aux armes de l'Intendant de Bordeaux Claude Boucher, faïence stannifère, manufacture de Jacques Hustin, Bordeaux, vers 1720

24. Pièce du service « *Cartus Burdig* » (chartreuse de Bordeaux), faïence stannifère de Bordeaux, manufacture de Jacques Hustin, vers 1720

25

LA COLLECTION DES MINIATURES, FIN XVIIIᵉ-DÉBUT XIXᵉ SIÈCLE

Quelque cinq cents numéros composent la collection des miniatures du musée ; l'apport de la collection Jeanvrot (cf. p. 103) en 1967 fut considérable. Aujourd'hui, deux cent soixante-dix d'entre elles, des portraits fin XVIIIᵉ-début XIXᵉ siècle, constituent un ensemble lié à la production bordelaise, ces dernières années ayant privilégié ce côté par des dons et des legs (Mlle H. Lung, 1976 ; Mme E. Samazeuilh, 1972 ; Mme Fosse, 1992) et des achats des Amis de l'hôtel de Lalande.

Le portrait français en miniature connaît une période faste à la fin du XVIᵉ siècle avec les portraits enluminés du règne de Charles V, puis il disparaît avec la vogue des portraits au crayon ; à la fin du XVIIIᵉ siècle, il retrouve une grande période en devenant le portrait-miroir, intime, sentimental, précieux, un objet que l'on garde avec soi et que l'on peut préserver de la curiosité ; son exécution, plus rapide et moins coûteuse par rapport à celle d'un grand portrait, permettait plus facilement de le refaire. Détrôné depuis plus d'un siècle par la photographie après l'engouement qu'il suscita dans les premières décennies du XIXᵉ siècle, le portrait en miniature perd sa raison d'être, n'étant plus qu'une relique sentimentale ou un bibelot.

Il existe un style bordelais dont le meilleur représentant est Pierre-Édouard Dagoty (Florence, 1775 - Bordeaux, 1871). Arrivé à Bordeaux en 1802, il se penche tout au long de sa carrière sur la société de la ville. Cinquante-quatre de ses œuvres sont conservées au musée ; elles répondent au bon goût d'une société bourgeoise aisée, attachée à des valeurs sûres et ont le mérite et l'avantage de mettre un visage sur les membres des familles qui ont fait Bordeaux à cette époque ; de plus, la réalité des grands voyages commerciaux, liée à l'activité du port, a multiplié le besoin de ces petits portraits, faciles à emporter ; les miniaturistes sont nombreux à Bordeaux à offrir leurs services.

En dehors de Pierre-Édouard Dagoty (fig. 26) et des peintres bordelais renommés des XVIIIᵉ et XIXᵉ siècles comme Pierre Lacour (1745 - 1814), François-Louis Lonsing (1739 - 1799) et Gustave de Galard (1779 - 1841), quelques grands noms de la miniature française sont présents dans la collection avec une prédominance de la riche école lorraine : François Dumont (1751 - 1831) de Lunéville, Jean-Urbain Guérin (1760 - 1836) de Strasbourg, mais aussi le Parisien Jean-François Hollier (1772 - 1845) ou Domenico Bossi (1765 - 1853), artiste international.

La collection de Bordeaux reste cependant provinciale, une qualité pour les arts décoratifs de ce musée tournés vers les richesses d'une région dont les miniatures sont une mémoire.

26. Pierre-Édouard Dagoty, *Madame Dagoty et ses deux filles présentant une miniature du père*, 1819

27

SALON CRUSE-GUESTIER

Dans un hôtel particulier, on nomme appartement de commodité un ensemble de pièces réservées à l'habitation d'une seule personne. Monsieur de Lalande disposait de son appartement au rez-de-chaussée avec essentiellement une antichambre et une chambre.

L'antichambre est ici située entre la salle à manger et l'ancienne cour des cuisines (aujourd'hui, la collection Jeanvrot) ; elle introduit la chambre ; c'est une vaste pièce aux angles arrondis qui pouvait servir de bibliothèque, le faible éclairage permettant d'y présenter aussi des collections de dessins ou d'estampes.

Aujourd'hui, elle abrite le legs Cruse-Guestier ; en 1936, Georges Guestier (Bordeaux, 1860 - *id.*, 1936) lègue, avec son épouse Marguerite, née Cruse, décédée en 1901, au musée d'Art ancien tous les objets, meubles et tableaux qui composent

le grand salon de leur hôtel particulier, l'hôtel Poissac, donnant sur le cours d'Albret. Ils sont issus de familles protestantes appartenant à la grande bourgeoisie négociante bordelaise ; le legs est assorti d'une réserve ; il doit être exposé dans une même salle du musée. Une petite aquarelle de Félix Carme (Bordeaux, 1863 - *id.*, 1938), peinte en 1936, rappelle la disposition originelle respectée aujourd'hui ; un bureau de style Louis XV, des sièges d'époque Louis XVI en noyer laqué vert et or, un secrétaire et une commode d'ébénisterie parisienne, transition Louis XV-Louis XVI, composent le mobilier auquel s'ajoutent des témoignages du goût constant des Bordelais depuis le début du XVIIIe siècle pour les porcelaines chinoises d'exportation (cf. p. 42), des potiches, bols à punch et plaques de porcelaine. Un superbe cartel d'applique de style rocaille, signé sur le cadran *Causard, horloger du Roy*, du milieu du XVIIIe siècle et deux encoignures, à décor de marqueterie en acajou, sycomore et bois teinté, des années 1780 sont remarquables.

Une collection de dix-sept bronzes d'Antoine-Louis Barye (Paris, 1769 - *id.*, 1875) (fig. 27) témoigne de leur passion pour la chasse à courre et les chevaux.

A.-L. Barye a dérangé l'art statuaire traditionnel en donnant une place primordiale à l'animal, non pas traité comme une figure antique et noble, mais comme un être vivant ; ses animaux ne sont jamais figés, esquissant un mouvement, attentifs, aux aguets. Il sait mettre en valeur le jeu de leurs tendons, de leurs muscles, le chatoiement de leur robe ou le velouté de leur plumage. Les sculptures animalières de Barye sont des objets d'art décoratif que l'amateur peut contempler et manier dans le silence de son bureau.

28

27. Antoine-Louis Barye (1769 - 1875),
Singe chevauchant un gnou

28. Salon Cruse-Guestier

LE SALON DE PORCELAINE

À la suite de l'antichambre, la chambre de monsieur de Lalande est occupée par le salon de porcelaine ; voisin du salon de compagnie, il prend jour
sur le jardin et possède son parquet d'origine et sa
cheminée dont le marbre blanc, les pieds-droits en
gaine cannelés et le bandeau d'entrelacs sont très
caractéristiques du style Louis XVI.

Il présente le magnifique ensemble réuni par un
amateur bordelais, entré au musée en 1978 par
dation, qui constitue le noyau de la collection de
porcelaine bordelaise de la fin du XVIIIe siècle, enrichi
depuis 2005 par le beau dépôt d'un collectionneur
privé (cf. p. 51) (fig. 30 et 32).

Des meubles portuaires de cette fin de siècle
(cf. p. 30-31) l'accompagnent ; ainsi une belle armoire
en acajou de Cuba, bois de fil et ronce (don des Amis
de l'hôtel de Lalande, 1995) (fig. 14) au rare décor
sculpté d'attributs guerriers et peut-être révolutionnaires (fig. 13), est une armoire de lingerie, désignée
par ses trois tiroirs intérieurs.

Le secrétaire à cylindre, en acajou de Cuba, robuste, fonctionnel et sévère, représentatif du style bordelais (achat de la Ville, 1958), porte une paire de cache-pots sur contre-pots de porcelaine de Bordeaux.

Plus rare, une console en chêne sculpté, laqué et doré, exceptionnelle par l'état de conservation de son décor peint gris-bleu et or (fig. 31) est datée des années 1785 ; les feuilles de vigne ou de lierre et le bouquet de roses sont aussi des thèmes récurrents de la porcelaine de Bordeaux ; une autre spécificité est la forme de son plateau latéralement concave que l'on retrouve sur les consoles servantes bordelaises de la salle à manger.

Un ensemble de sièges dont six chaises en hêtre teinté avec un dossier repercé, enroulé à barreau de préhension, se réfère aux créations des frères Jacob ; un beau décor, d'une fleur de lotus stylisée surmontée d'un rectangle dans lequel s'inscrit un losange orné d'une rosace accolée de deux fleurs de lotus, habille leur dossier (legs Pelleport-Burète, 1932) (fig. 29).

31

LA PORCELAINE DE BORDEAUX XVIIIᵉ siècle

« La connaissance que les Bordelais eurent très tôt, dès le début du XVIIᵉ siècle, de la porcelaine de Chine, communément appelée Compagnie des Indes, l'engouement que suscita tout au long du XVIIIᵉ siècle la belle porcelaine kaolinique venue de Saxe puis, à partir de 1770, de Paris et de Limoges, furent autant de facteurs déterminants pour la création d'une manufacture de porcelaine à Bordeaux.

Les Verneuilh, opulents et astucieux marchands-détaillistes de la corporation des « marchands de faïence, parfumeurs-gantiers », qui ont une boutique rue des Argentiers, décident en 1781 de louer dans le quartier de Paludate, le château des Terres de Bordes, pour y établir une manufacture de porcelaine. Cette installation durera une dizaine d'années seulement mais la période de production en est plus brève encore, liée à la présence durant trois ans, de 1787 à 1790, d'un porcelainier de grand talent et d'expérience, Michel Vanier, d'origine orléanaise. C'est avec du kaolin fourni par François Alluaud (1739 - 1799), fabricant de porcelaine installé à Limoges et directeur de la manufacture royale de cette ville, que Vanier fabrique de la porcelaine. Par ailleurs, François Alluaud est le bailleur de fonds de la manufacture et le patron de Michel Vanier. Avec la mort de Vanier en mars 1790, la production prend fin.

La production de la manufacture des Terres de Bordes est de très belle qualité : d'une parfaite blancheur et sonorité, un peu épaisse et robuste car très souvent, des services entiers étaient expédiés outre-Atlantique. Ses formes élégantes et variées sont destinées à la décoration (sculptures en biscuit,

32. Jatte carrée en porcelaine de Bordeaux, manufacture des Terres de Bordes, 1787 - 1790

32

vases, caissettes à fleurs, fleuriers d'applique...), à la toilette, notamment des pots à eau, couverts ou non, accompagnés de leur bassin, mais surtout à la table et aux collations prises à différentes heures du jour et de la soirée. La très grande quantité d'assiettes, encore existantes aujourd'hui, témoigne des habitudes de convivialité de Bordeaux. L'usage des « boissons exotiques » : thé, café et chocolat, suscite la création de toutes sortes de verseuses, en quatre ou six tailles, de tasses et de petits plateaux pour réunir ce que l'on appelait un *cabaret*.

Si les décors ne sont pas foncièrement différents de ce que l'on trouve, à pareille époque, dans le reste de la France, il faut noter une nette prédilection pour les bouquets champêtres accompagnés de bordures stylisées, où dominent les rinceaux dorés inspirés par l'ornemaniste Salembier, les guirlandes fleuries et les colliers pourpres ou bleu vif ; mais il y a aussi les décors aux oiseaux, les bouquets – et la polychromie – inspirés de « la fleur des Indes », les semis de barbeaux, les paysages en camaïeu et les décors dits de « cartels », notamment

les trophées d'amour inspirés par l'ornemaniste Ranson qui réunissent flambeaux, carquois et couple de colombes se becquetant.

Les marques qui permettent d'identifier la porcelaine de Bordeaux sont essentiellement de deux sortes : soit deux V dorés empiétant l'un sur l'autre, peints sur la couverte, c'est-à-dire présentant un léger relief au toucher ; soit un monogramme, formé d'un A et d'un V tête-bêche, entouré le plus souvent du mot BORDEAUX. Cette marque posée sous la couverte est toujours bleutée. On trouve encore, tracée en doré ou en rouge sur couverte, la marque *Omont* ou *Omont à Bordeaux*, parfois suivie d'une date. Omont était un marchand à qui Vanier fournissait de la porcelaine. L'ensemble de cette production eut donc une durée d'existence très brève, n'excédant pas trois années, de 1787 à 1790. Elle reste, dans le riche domaine des arts décoratifs, une des plus jolies productions bordelaises. »

Texte de Jacqueline du Pasquier, « Les noces de porcelaine », livret d'exposition, château de Nairac, Barsac, 1992.

33. Scriban bordelais, première moitié du XVIIIᵉ siècle

Premier étage

À l'étage, on trouve le bel appartement de madame de Lalande, mais aussi ceux de son fils et de sa bru, de leurs enfants, des précepteurs et gouvernantes qui leur sont attachés. Le principe de l'enfilade est abandonné en faveur d'un système de compartimentage préféré depuis le début du XVIIIᵉ siècle, favorisant les petits appartements confortables et intimes. À la suite des occupations de l'hôtel par les administrations successives durant le XIXᵉ et le début du XXᵉ siècle, seules les deux antichambres sont restées intactes ; à la place des petits appartements, cinq salons ont été réaménagés en 1925 par l'architecte de la Ville, Jacques d'Welles, avec des éléments de style Louis XV et Louis XVI prélevés dans des hôtels bordelais du quartier.

PREMIÈRE ANTICHAMBRE

Le palier commande une première antichambre qui servait à accueillir les invités de madame de Lalande, avec les mêmes proportions et la même boiserie que celles du rez-de-chaussée. Avec la seconde antichambre, elle présente l'importante collection de faïence stannifère française des XVIIᵉ et XVIIIᵉ siècles – près de 1 500 pièces – provenant essentiellement du don Évrard de Fayolle (1911) et des legs Bonie (1895),

Pelleport-Burète (1930), Périé (1945), Chalus (1960) et Lataillade (1969). Ces deux lieux d'exposition, qui s'ajoutent à la salle à manger et à la deuxième antichambre du rez-de-chaussée réservées à Bordeaux, à la chambre garance pour les céramiques du Sud-Ouest, offrent un panorama non exhaustif mais exemplaire de la faïence stannifère en France pendant ces deux siècles, souvent visité et étudié par les spécialistes. Deux techniques, un peu différentes, sont pratiquées selon les manufactures.

Le « grand feu », ainsi appelé car la température nécessaire pour la cuisson de l'émail est très élevée (900 °C environ), emploie des oxydes métalliques comme colorants appliqués sur l'émail cru ; seuls quelques oxydes métalliques sont capables de supporter cette chaleur, limitant ainsi la palette du « grand feu » à quatre, parfois cinq couleurs : le bleu de cobalt, le vert doux de cuivre, le mauve-brun de manganèse, le jaune-orange d'antimoine et parfois le rouge tomate de fer.

Pour le « petit feu » ou « feu de moufle », le décor est peint sur l'émail déjà cuit ; dans ce cas, sa cuisson, dissociée de celle de l'émail, peut se faire à une température plus basse (vers 750 °C) qui autorise l'emploi de couleurs variées et nuancées, notamment le pourpre

34

de Cassius dans la gamme des roses et des rouges, et l'or. Notons également que l'usage de cette seconde technique permet les retouches et corrections du décor, impossibles sur l'émail cru, pulvérulent, qui absorbe immédiatement le trait.

Dans cette première antichambre est présentée la production du Nord de la France. Les centres de Nevers, Rouen, Lille, Saint-Omer et Sinceny sont à « grand feu ».

Nevers est, dès le XVIIe siècle, le premier à pratiquer le « décor chinois » imité des porcelaines d'Extrême-Orient et de la faïence de Delft, repris ensuite par la plupart des autres fabriques et notamment celle de Rouen. D'autres décors, comme le décor persan ou celui inspiré des pastorales mises à la mode par l'*Astrée*, sont aussi interprétés, le plus original et le plus rare étant celui « à la bougie » fait de taches de peinture blanche posées de façon irrégulière sur un fond bleu profond.

Le centre de Rouen, célèbre au XVIIe siècle pour son « panier fleuri », l'est encore davantage au XVIIIe siècle avec le décor « lambrequins », dit encore « broderies », une des créations les plus belles de la céramique

française, qu'il soit traité en camaïeu bleu ou rehaussé du rouge de fer (fig. 35). La célèbre fabrique des Guillibaud s'inspire, à partir des années 1720 - 1725, des motifs à bordure quadrillée de la porcelaine chinoise de la famille verte, « à la pagode », « au carquois » ; vers 1750, ils sont japonais, « Kakiemon », « à la haie », « à la corne tronquée », « au rocher percé »…

Une série de pichets populaires, pots Jacquot ou pots Jacqueline de Lille, un canard-terrine au décor manganèse à l'éponge de Saint-Omer et des décors imités de ceux de Rouen par Sinceny complètent ces exemples de grand feu.

La technique du petit feu est mise au point pour la première fois à Strasbourg, associée quelquefois au grand feu ; le célèbre décor naturaliste des bouquets où domine le pourpre de Cassius est contemporain des formes « en baroc » et des trompe-l'œil au décor en relief comme des terrines en forme de chou.

Les Islettes, Aprey, Sceaux et Niderviller pratiquent aussi le petit feu et sont influencés par les décors de Strasbourg.

34. Première antichambre
du premier étage de l'hôtel
35. Saupoudreuse, faïence stannifère
de Rouen, XVIIIe siècle

35

Des statues de jardin en terre cuite, du milieu du XVIIIe siècle (achat de la Ville, 1963), un pianoforte de 1790, en acajou moucheté (fig. 34), dont le facteur Pierre Garnier est installé à Bordeaux, rue Bouffard (don des Amis des Musées de Bordeaux, 1991), et des fauteuils cabriolets Louis XVI en hêtre laqué blanc (legs Giovetti, 1985), recouverts d'un tissu imprimé d'après un modèle de papier peint de Duras installé à Bordeaux (cf. p. 79) animent aussi cette première antichambre.

SECONDE ANTICHAMBRE

Elle présente les mêmes boiseries que celles du rez-de-chaussée avec une cheminée en marbre blanc Louis XVI, sur laquelle est posée une pendule à portique dont le mouvement est signé *Rouvière à Paris* (legs Tauzin, 1971).

Elle abrite un des plus beaux meubles du musée, un bas d'armoire de salle à manger, en placage d'acajou, amarante et bois de rose, estampillé *Schwerdfeger* (fig. 36) (legs Lataillade, 1969). Jean-Ferdinand Schwerdfeger, d'origine allemande comme beaucoup des ébénistes de cette époque exerçant à Paris, travaille à partir de 1760 et reste en activité dans la capitale jusqu'en 1798 ; il est connu pour sa participation au célèbre serre-bijoux offert en 1787 par la Ville de Paris à la reine Marie-Antoinette. Le mobilier à son estampille est toujours d'une très belle qualité d'exécution et d'une conception novatrice et ingénieuse, notamment au niveau des mécanismes ; le mécanisme de fermeture de ce meuble implique un traitement en lamelles accolées sur toile pour les vantaux ; le fort diamètre des montants s'explique par leur fonction : à l'ouverture, ils dissimulent dans leur épaisseur les rideaux dont l'enroulement dégage entièrement un intérieur garni d'étagères. Les bronzes, sobres, sont d'une qualité de ciselure égale à celle du beau travail d'ébénisterie.

Les grands centres faïenciers du Sud de la France (en dehors de Bordeaux et certains centres du Sud-Ouest), exposés dans cette seconde antichambre, ont pratiqué le grand feu et le petit feu.

Ainsi, Marseille, dans la première moitié du XVIIIe siècle, produit des camaïeux bleus de grand feu dans le goût de Savone ; dans la seconde moitié, en rivalité serrée avec la porcelaine, les célèbres manu-

factures de la Veuve Perrin, Gaspard Robert, Savy, Bonnefoy adoptent le petit feu avec des décors de fleurs aux longues tiges souples, des marines rappelant le peintre marseillais Lacroix ou encore des trophées de poissons évoquant la bouillabaisse. Joseph II Fauchier est sans doute l'inventeur des fonds jaunes, comme ensoleillés, qui connaîtront un grand succès dans toutes les fabriques du Midi. Le goût de la ronde bosse entraîne aussi une importante production d'assiettes « à l'illusion ».

Les décors de grand feu de Moustiers ont été très appréciés et copiés dans la seconde moitié du XVIIIᵉ siècle ; celui « à grotesques », le plus souvent reproduit, interprète avec une fantaisie toute méri-

dionale les modèles de Callot, en camaïeu ou en polychromie jaune et vert ; un des plus raffinés est le décor « à guirlandes et médaillons » et celui « à drapeau » fut créé selon la tradition, au lendemain de la bataille de Fontenoy (1745) ; une pièce de la fabrique de Féraud porte des emblèmes maçonniques ; quant à la manufacture de Fouque, elle produisit des faïences sur fond jaune ou blanc avec un décor floral animé d'insectes.

Les pièces de petit feu à Moustiers sont attribuées à la manufacture des frères Ferrat ; pendant la seconde moitié du XVIIIᵉ siècle, l'opposition d'un rouge et d'un vert acide caractérise la palette très vive des Ferrat sur des thèmes variés (chinois, fleurs naturelles, oiseaux).

Deux centres du Sud-Ouest, Samadet et Moncaut sont exposés (les autres le sont dans la chambre garance) ; leur production est à grand feu.

La fabrique de Samadet dans les Landes, bénéficie, selon un schéma classique, de l'expérience de Le Patissier, originaire de Rouen, installé chez Hustin à Bordeaux quand il est débauché. La production est homogène avec une prédominance de manganèse et la pérennité de quelques décors principaux, notamment des œillets aux pétales pointus, la fleur de pois à longue tige ou la palombe familière de la forêt landaise. Dans les années les plus glorieuses, entre 1750 et 1760, quelques modèles associent des personnages en ronde bosse à une fonction utilitaire, comme le célèbre huilier au cheval cabré (fig. 37).

La production de Moncaut, dans l'Agenais, est sans doute la plus originale des faïences du Sud-Ouest, facilement identifiable par un décor historié, animé de petits personnages drolatiques, traités de façon naïve ou caricaturale, dans une palette foncée adoucie de jaune pâle ou de bleu pervenche.

36. Bas d'armoire de salle à manger, estampillé *Schwerdfeger*, actif à Paris de 1760 à 1798

37. Huilier au cheval cabré, faïence stannifère de Samadet, 1750 - 1760

37

LA FAÏENCE DE DELFT XVIIᵉ - XVIIIᵉ siècles

La collection bordelaise des faïences de Delft est riche de trois cent vingt pièces ; les plus belles sont exposées dans la chambre jonquille et le salon des singeries.

La faïence de Delft est une faïence stannifère cuite au grand feu, dont l'émail brille d'un éclat particulier dû à l'emploi du « kwaart », sorte de couverte translucide dont on asperge la pièce après la pose du décor et dont l'aspect brillant et vitreux a pour but de rivaliser avec la porcelaine.

Les sujets sont souvent cernés au « trek », trait de manganèse brun ou violet. L'apogée de la fabrication delftoise se situe dans la seconde moitié du XVIIᵉ siècle. Les porcelaines chinoises et japonaises, importées par les navires de la Compagnie des Indes, ainsi que des étoffes de même provenance, sont prises comme modèles pour des décors exotiques : décor floral et animalier, scènes animées, décor dit « Cachemire », inspiré des tissus indiens.

Concurremment s'exerce l'influence de l'école de peinture hollandaise avec ses paysagistes et ses peintres d'intérieurs. Ces décors sont d'abord peints en bleu, ou camaïeu bleu, à l'imitation des bleus de Chine très prisés, technique facilitée par la bonne tenue du bleu de cobalt ; ce type de fabrication se poursuit tout au long du XVIIIᵉ siècle.

Dans le dernier quart du XVIIᵉ siècle, au bleu de grand feu s'ajoutent des couleurs de petit feu, le rose, l'or,

posées après une première cuisson – c'est la technique mixte ou « Delft doré » –, et la polychromie de grand feu avec sa palette caractéristique, particulièrement intense à Delft.

Les décors de Delft ont la spontanéité des décors de grand feu ; les couleurs brillantes, l'art de la composition, la finesse des produits en font les meilleurs concurrents européens de la porcelaine, les plus recherchés comme les plus imités.

Dans la collection de Bordeaux, le camaïeu bleu se retrouve surtout sur les vases, de différentes formes, et les tulipières, très caractéristiques de

la Hollande. Les faïences à décor polychrome se permettent, en dehors des motifs orientaux d'inspiration chinoise et japonaise, d'avoir un style rustique, spontané, proche de l'art populaire ; deux pièces, un encrier et une assiette ornée d'un décor « à la pagode », témoignent du « Delft doré ». La permanence de certains décors appréciés rend la datation difficile, mais très souvent les produits de Delft sont marqués du signe propre à chaque fabrique ; « À l'enseigne de la rose » signe un pot couvert du XVIIᵉ siècle (fig. 38) (don Évrard de Fayolle, 1911).

38. Pot couvert, Delft, XVIIᵉ siècle   **38**

39. Commode en table
d'applique, Paris, 1745 - 1749

39

SALON DES SINGERIES

L'ensemble des boiseries d'époque Louis XV à dessus-de-porte décorés de « singeries » dans le goût de Christophe Huet (1694 - 1759) proviennent de l'hôtel de Gascq, 16, rue du Serpolet à Bordeaux construit en 1736.

Deux meubles raffinés d'ébénisterie parisienne occupent ce petit « boudoir ». Une commode en table d'applique (legs Daniel Astruc, 1953) à la marqueterie d'acajou ronceux, bois de rose et violette, ouvrant à un seul tiroir, est décorée de bronzes dorés au poinçon du C couronné qui permet de la dater entre 1745 et 1749 ; le marbre brèche d'Alep, par sa couleur dominante jaune clair et un caillloutage très net, apporte une note de fantaisie propre à l'époque Louis XV (fig. 39). La même fantaisie règne sur le frisage en bois de prunier très contrasté d'un bas d'armoire-secrétaire à abattant, estampillé *Delorme*, nom patronymique d'Adrien Faizelot, actif à Paris de 1748 à 1783 ; son profil en arbalète est aussi caractéristique de l'époque Louis XV (legs Giovetti, 1985).

Des fauteuils à la reine (legs Bonie, 1895), des années 1735, en hêtre sculpté laqué, au dossier de plan droit qui permettait de les aligner le long des lambris, entrent dans la catégorie des sièges « meublants » ; ils ont les accotoirs gainés placés en retrait pour donner passage aux nouvelles robes à paniers, mais l'entretoise en X demeure une réminiscence de l'époque Louis XIV.

De la faïence de Delft polychrome du dernier quart du XVIIᵉ siècle (cf. p. 58) est disposée sur la cheminée en garniture d'armoire, dite « kaststel », traditionnelle en Hollande aux XVIIᵉ et XVIIIᵉ siècles : trois, cinq ou sept vases combinant en alternance vases cornets, potiches ou bouteilles à renflement.

La vitrine présente des éventails (cf. p. 60) et des objets précieux plutôt féminins en ivoire, en marqueterie, en pomponne et en écaille.

ÉVENTAILS XVIIᵉ - XIXᵉ siècles

Le musée des Arts décoratifs conserve une rare collection de deux cent trente éventails des XVIIᵉ-XIXᵉ siècles, entrés dans le musée avec les legs Périé (1945), Jeanvrot (1958) et Lataillade (1963), trois collectionneurs bordelais. Catherine de Médicis, en épousant Henri II en 1533, amène de son Italie natale des éventails « plissés et pliés », les ancêtres de nos éventails actuels. Au XVIIᵉ siècle, l'usage de l'éventail s'établit dans toute l'Europe et, en 1678, le roi Louis XIV accepte la création d'une communauté de « maîtres éventaillistes » qui obtient ainsi l'exclusivité de la fabrication des éventails.

Il existe différents types d'éventails. Le plus connu est le « plié », composé d'une monture et d'une feuille plissée ; un deuxième type, dit « brisé », présente des brins de bois, en ivoire ou encore en os qui forment à la fois la monture et la feuille.

La pièce la plus ancienne du musée est un éventail plié de la fin du XVIIᵉ siècle, dont la feuille est peinte d'une scène des *Métamorphoses* d'Ovide : *Diane au bain surprise par Actéon* ; un peu plus tardif, un éventail brisé, en ivoire, avec un décor peint et doré, représente la *Fondation de Babylone par Sémiramis* (fig. 40). Au XVIIIᵉ siècle, la taille des feuilles augmente, les brins sont larges et offrent une gorge pleine, avec un déploiement de « plein vol ». Les éventails de cette époque sont l'un des points forts de la collection de Bordeaux avec, à parts égales, des productions parisiennes et celles de l'école du Nord, Angleterre et Pays-Bas.

40

Les montures sont particulièrement mises à l'honneur : d'or ou d'argent sertis de pierres précieuses, d'ivoire découpé, d'écaille, de nacre, toutes ces matières sont repercées, gravées, incrustées et rehaussées par des décors peints et dorés ; les feuilles sont en papier ou en peau extrêmement légère ; les sujets peints sont souvent féminins : Abigail, Rebecca, Esther, Vénus, Bethsabée, Iphigénie... Les mariages sont des occasions : Bordeaux conserve un éventail du mariage du comte de Provence, futur Louis XVIII, et de Louise-Joséphine de Savoie, célébré le 14 mai 1771.

À la fin du XVIIIe et au début du XIXe siècle, les brins s'espacent et sont assortis d'accessoires curieux ; les feuilles diminuent et sont souvent en soie avec des décors de paillettes et de broderies. Le petit éventail brisé réapparaît après une éclipse au XVIIIe siècle ; les plus beaux et les plus fragiles sont en écaille. Le XIXe siècle voit les pastiches du style Louis XV et Louis XVI sous le second Empire et la vogue des éventails chinois et des éventails japonais, bien représentés dans la collection du musée. Objets de luxe et accessoires de mode, les éventails sont souvent présentés avec des auxiliaires de la toilette et des parures féminines.

40. *Fondation de Babylone par Sémiramis,* éventail brisé, France, vers 1720

CHAMBRE JONQUILLE

La cheminée et l'ensemble des boiseries Louis XVI proviennent de l'hôtel de Louis-Hyacinthe Dudevant, 57, rue des Menuts à Bordeaux, un négociant, comme l'attestent les emblèmes du Commerce sculptés face à ceux de la Musique, ceux des Sciences et de l'Amour étant placés au-dessus des trumeaux de glace ; seule la rosace centrale du parquet d'origine a été préservée. Son mobilier, de grande qualité, souvent estampillé, assorti aux boiseries Louis XVI, est d'origine parisienne. Depuis 2003, grâce au don des Amis de l'hôtel de Lalande d'un lit à la polonaise, ce salon est devenu une chambre (fig. 41).

Ce lit est sept fois estampillé *L.M. Pluvinet*, Louis-Magdeleine Pluvinet, reçu maître à Paris en 1775 ; les deux chevets, les traverses et le baldaquin en bois mouluré et laqué crème sont décorés d'un nœud de ruban plissé. Le même ébéniste a estampillé deux chaises en cabriolet, en hêtre sculpté et laqué dont l'ornementation simple de cannelures est issue de la mode « à la grecque » des années 1760 - 1765 (legs Giovetti, 1985).

Au chevet du lit, une table chiffonnière a un premier tiroir aménagé en écritoire avec un encrier et une boîte à sable ; elle est en bois de rose avec des filets clairs et teintés (don des Amis de l'hôtel de Lalande, 2004).

Une commode à tiroirs de ceinture, marquetée d'acajou, palissandre, bois de rose, ébène et érable, est estampillée *G. Cordié* ; né en 1725, Guillaume Cordié passe maître à Paris en 1766 où il exerce jusqu'en 1787. Le style de cette commode est néoclassique et la marqueterie met l'accent sur la verticalité du meuble en gommant l'horizontalité des tiroirs ; des cannelures en trompe-l'œil simulent des pilastres sur les ressauts, sommés par des rosaces allongées qui accentuent l'effet de colonnade à l'antique (legs Giovetti, 1985). Elle est surmontée d'un baromètre octogonal (legs Duhart, 1966) dont le fronton porte un décor emblématique de l'Amour semblable à celui d'un trumeau de glace, confortant ainsi l'installation actuelle d'une chambre.

Une demi-commode, en acajou massif et en placage, est estampillée *A. Schuman*, maître à Paris en 1779. Elle témoigne de la vogue, chez les ébénistes parisiens à la fin de l'Ancien Régime, du bois unique, de préférence exotique, travaillé de fil, travail que Bordeaux et les ports de l'Atlantique produisaient depuis la fin du XVIIe siècle (cf. p. 30-31). La perfection des proportions de ce petit meuble lui confère beaucoup de légèreté ; l'emploi du bronze, ciselé et doré, est particulièrement délicat dans les chutes de laurier retenues par des nœuds de ruban plissé, accusant l'arrondi des montants.

Deux armoires vitrées, marquetées de bois de rose, amarante, acajou, sycomore et ébène en placage font fonction de bibliothèque ; l'une d'entre elles est estampillée *J. Popsel*, un ébéniste parisien (legs Lataillade, 1969). Elles supportent une paire de pots couverts du XVIIe siècle de la fameuse fabrique delftoise « À l'enseigne de la rose » (fig. 38).

D'autres céramiques de Delft bleues et une partie de la collection de verres (cf. p. 64) sont exposées dans des vitrines.

41. Chambre jonquille

42

Verrerie du XVIe au XIXe siècles

Quelque quatre cents objets de verrerie du XVIe jusqu'au XIXe siècle, avec une prédominance de verres, font de la collection du musée un département important souvent visité et admiré par les spécialistes ; ils proviennent en majorité du don Évrard de Fayolle de 1911 et du legs Perié de 1945 ; environ cent trente œuvres sont exposées.

Dès le XIIIe siècle, grâce à l'installation de verriers syriens et égyptiens à Murano et à l'invention du cristallin, Venise devient le centre du verre en Europe, concurrencée au XVIe siècle par Altare, près de Gênes, qui, à l'encontre de Venise, envoie ses artisans dans les autres pays et notamment à Nevers. Au début du XVIIe siècle, l'émaillage, la dorure et surtout la gravure à la roue permettent au verre allemand de triompher de Venise ; les verriers de Bohême augmentent l'épaisseur du verre, le taillent en facettes, le décorent, suivis par toute l'Europe. Grâce à l'invention du cristal par l'Anglais George Ravenscroft en 1750, l'Angleterre est imitée par tous les autres centres européens. La France se contentera d'adapter au goût français les formules et les formes de Venise, de Bohême et de l'Angleterre ; en 1800, on ne compte que 54 verreries en France.

Le grand intérêt de cette collection est de présenter des pièces des principales étapes de l'évolution du verre en Europe et de faire connaître les centres actifs du Sud-Ouest de la première moitié du XVIIe siècle qui profitaient d'un marché et d'un port ouverts à l'exportation et du terrain sablonneux de la côte Atlantique.

En 1596, Henri IV avait confirmé par lettres patentes enregistrées à Bordeaux les exemptions auxquelles les gentilshommes verriers et leurs ouvriers avaient droit depuis le XIVe siècle. La première verrerie mentionnée à Bordeaux appartenait aux frères François et Antoine Sarda, italiens, habitant en 1605 la paroisse Sainte-Croix. En 1723, l'Irlandais Pierre Mitchell crée à l'entrée du faubourg des Chartrons une manufacture, suivie d'autres dans la région, la demande de bouteilles pour le vin étant très importante.

La coupe dite Tazza (fig. 42) en *cristallo*, des années 1600 - 1620, est issue d'une verrerie du Sud-Ouest ; sa forme exceptionnelle provient d'un modèle italien (don Évrard de Fayolle, 1911).

L'autre chef-d'œuvre de cette collection (fig. 44), une gourde en verre bleu opaque soufflé et tacheté, a été, sans doute, avec une série de gourdes similaires répertoriées dans les collections publiques européennes et américaines, exécutée par les altaristes de Nevers dans la première moitié du XVIIe siècle ; cette technique de décor, très ancienne, était connue sous l'empire romain

(fonds ancien). Enfin, une élégante aiguière sur pié-douche (fig. 43), à panse légèrement renflée, décorée à son col de filets bleus rapportés est d'origine normande et date du XVIIIe siècle (legs Bonie, 1895).

43

44

42. Coupe dite Tazza, Sud-Ouest, 1600-1620

43. Aiguière normande, XVIIIe siècle

44. Gourde en verre tacheté, altaristes de Nevers, première moitié du XVIIe siècle

45. Boiseries du salon vert,
début XVIIIe siècle (détail)

46. Système à bascule de la
bibliothèque du scriban bordelais
(détail)

45

SALON VERT

Les boiseries de l'hôtel de Gascq, 16, rue du Serpolet à Bordeaux, construit en 1736, sont un bel exemple du style rocaille, rare à Bordeaux dans les décors intérieurs privés, qui sont plus généralement de style Louis XVI. À cette particularité s'ajoute celle de leur couleur, un vert très franc rehaussé d'or au-dessus des portes, couleur d'origine retrouvée sous différents repeints et badigeons (fig. 45). Ces boiseries ont demandé un mobilier de la même époque.

En face de la cheminée, une glace à double encadrement de bois doré (don Henri Cruse, 1928) est placée au-dessus d'un pied de table ou console, à ceinture ajourée de forme mouvementée. C'est au milieu du XVIIe siècle qu'apparaît en France l'habitude de plaquer contre les murs les tables avec piètement, désignées par le terme de consoles à partir de 1750 ; elles sont purement décoratives et doivent s'harmoniser avec l'ensemble des boiseries. Le sculpteur en bâtiment, responsable au XVIIIe siècle de l'exécution de ce type de meuble, s'efforce de reproduire la fluidité de mouvement des courbes et des contre-courbes, créant ainsi des chefs-d'œuvre de style rocaille, anonymes comme les boiseries (fig. 47). En 1932, le président des Amis du musée d'Art ancien, Henri Cruse, a demandé que ce don soit placé dans ce salon.

Le scriban, de l'époque Régence, en acajou blond, un meuble portuaire (cf. p. 30-31), est un superbe exemple de ce type de mobilier fonctionnel, très fréquent dans les intérieurs des négociants bordelais (fig. 33).

46

Commode surmontée d'un secrétaire en pente et d'une bibliothèque, ce modèle possède un remarquable système de serrurerie dit « à bascule », somptueusement traité en fer forgé dans la grande tradition bordelaise (cf. p. 80-81), enrichi d'effets de tige ondée (dépôt du musée d'Annecy, 2001) (fig. 33 et 46).

Trois chaises à la reine, canne et hêtre sculpté laqué noir et doré, au décor exubérant, asymétrique, typiquement rocaille, peuvent être datées des années 1740 (don Soulié-Cottineau, 1923). L'une d'entre elles, plus petite, avec un dossier en arbalète, est estampillée *P.M.L.*, initiales répertoriées comme celles d'un ébéniste connu sous Louis XV, précédées de *J.M.E.* (jurés menuisiers ébénistes), estampille de la corporation des menuisiers ébénistes pour défendre leurs privilèges (fig. 47).

47. Salon vert

48. Encoignure parisienne de P. H. Mewesen, milieu du XVIIIᵉ siècle

49. Cartel Régence, signé *Duhard à Bordeaux*, début XVIIIᵉ siècle

49

Deux sortes de cartel sont accrochés, l'un sur la glace, à décor rocaille de branches fleuries en bronze doré (legs Giovetti, 1985), l'autre, plus important, sur son support en culot (fig. 49) (don de Mme Calhoun, 1956) ; son mouvement est signé *Duhard à Bordeaux*, daté *1746* ; il est marqueté de laiton gravé dans la manière de Boulle, sur fond d'écaille de tortue « caret » et poirier noirci. Un décor de bronzes ciselés représente des femmes emplumées, le double visage de Janus symbolisant le temps qui passe, une allégorie de la Vigilance sur la porte et à l'amortissement, une Renommée.

Des années 1760, un mobilier bordelais en noyer naturel sculpté (legs Rideau, 1957) provient de la famille des frères Labottière, célèbres libraires (éditeurs) de Bordeaux qui firent construire en 1773 l'hôtel Labottière, une des plus jolies maisons particulières de Bordeaux, par Étienne Laclotte, l'architecte de l'hôtel de Lalande. Le canapé en gondole, dit « ottomane », qui évoque le confort de l'Orient, est l'élément le plus intéressant de ce legs, composé aussi d'une bergère et de huit fauteuils en cabriolet ; la volubilité des bouquets sur la traverse des dossiers, fortement sculptés, est caractéristique du style naturaliste bordelais, ainsi que les pieds placés très en oblique, assurant une confortable stabilité (fig. 47).

Deux autres meubles, plus tardifs, sont présentés : une paire d'encoignures transition Louis XV-Louis XVI au panneau central marqueté à décor de treillis, fleurs quadrilobées, filets et grecques, estampillée *P.H. Mewesen*, maître à Paris en 1766 (dépôt du musée des Beaux-Arts, 2001) (fig. 48); une épinette en aile, marseillaise, de date tardive, 1791, alors que ce type d'instrument est déjà largement supplanté par le pianoforte, même en province, a des formes Louis XVI ; un décor avec des attributs révolutionnaires est esquissé, le fond jaune rappelant la coloration des vernis Martin, procédé qui connut son apogée sous Louis XV (achat de la Ville, 1957).

50. Toile peinte de la manufacture de Beautiran, près de Bordeaux, fin XVIIIe siècle (détail)

51. Rafraîchissoir ou rince-verre, faïence stannifère de Bergerac, XVIIIe siècle

52. Aiguière-casque, faïence stannifère de Toulouse, XVIIIe siècle

CHAMBRE GARANCE

De simples boiseries Louis XV et une cheminée en pierre, la seule de cette espèce dans l'hôtel, proviennent d'un hôtel situé 6, place Rohan à Bordeaux (fig. 53).

À l'encontre du lit à la polonaise de la chambre jonquille, dont l'armature est ancienne et la garniture moderne, le lit à la duchesse, dit aussi « à l'ange », de cette chambre a une armature en bois réalisée par l'atelier du musée sur une garniture d'origine, signée par son chef de pièces : *J.P. Mellier et Cie de Beautiran* (don des Amis de l'hôtel de Lalande, 1991). Cette garniture imprimée porte le nom d'« indienne » car elle est imitée des toiles peintes ramenées des Indes dans la seconde moitié du XVIIe siècle, par des manufactures apparues en France à partir de 1760, la plus célèbre étant celle de Jouy-en-Josas. Près de Bordeaux, la manufacture de Beautiran est créée tardivement en 1797 par Jean-Marie Mellier, originaire de Neufchâtel, qui achète le domaine de Lalande – hasard extraordinaire, il s'agit d'un bourdieu appartenant aux Lalande de cet hôtel ! – et cesse son activité en 1832.

Le décor d'impression, un camaïeu rouge garance, est connu sous le nom de « *L'Art d'aimer* » ou « *L'Agréable leçon* » d'après les deux inscriptions présentes dans cette

52

composition, des sujets bucoliques et galants, dans le goût du XVIIIᵉ siècle, recherchés dans le Sud-Ouest jusqu'à la fin du XIXᵉ siècle (fig. 50).

L'origine régionale du lit a donné le ton à cette chambre qui se veut aussi féminine. L'armoire haute en encoignure en bel acajou de Cuba est un exemple très réussi du mobilier portuaire bordelais (cf. p. 30-31), avec toujours ce mélange d'un décor néoclassique, urne, frise de feuilles d'eau et cannelures, sur une structure Louis XV, pieds cambrés et couronnement en chapeau de gendarme (achat de la Ville, 1992) ; son aménagement intérieur peut être garni d'une cuvette et de porte-serviettes au revers des vantaux. La commode scribanne, également en acajou, est plus marquée par le style Louis XVI (achat de la Ville, 1989). Des petites tables, à « encas » ou tricoteuse, accompagnent une table juponnée qui présente des éléments pour la toilette : miroir, bassin, flambeaux, aiguière-casque et écuelle couverte en étain (cf. p. 76), cette dernière étant d'un usage personnel, traditionnellement offerte à l'occasion d'une naissance, un élément ostentatoire attestant que la dame sait et peut tenir son rang (fig. 55).

Des pièces de faïence stannifère du Sud-Ouest sont exposées dans cette chambre et dans les vitrines ; elles témoignent du nombre remarquable de ces fabriques, une quinzaine, le long de la Garonne, de Marignac à Bordeaux et dans le Tarn.

Les centres de Toulouse, Auvillar, Montauban et Martres-Tolosane sont présentés avec quelques pièces.

Toulouse, créée la première en 1675, s'inspire comme Bordeaux des grandes fabriques françaises (son premier directeur est montpelliérain), mais élabore aussi des motifs personnels, comme la « grappe de raisin vrillée » en camaïeu bleu souvent associé à un décor à la Bérain ; une superbe aiguière-casque, à rapprocher de celle en étain, illustre l'influence des modèles de l'orfèvrerie sur l'étain et la faïence au XVIIIᵉ siècle (fig. 52).

Une première manufacture voit le jour en 1742 à Bergerac avec le catholique Jean Babut, suivie d'une seconde avec le protestant Tite Bonnet, qui utilise le petit feu ; sur le rafraîchissoir individuel (ou rince-verre), un coq, fier et déterminé, posé sur une terrasse, entouré de touffes fleuries, est proche des iconographies chinoises, connues avec les porcelaines de la Compagnie des Indes (fig. 51).

Ces œuvres proviennent essentiellement du fonds ancien, des legs Bonie de 1895, Périé de 1945 et Chalus de 1960.

53. Chambre garance

54

ÉTAINS DE BORDEAUX XVIIe - XVIIIe siècles

Grâce aux relations privilégiées de Bordeaux avec l'Angleterre, les mines de Cornouailles furent, dès le Moyen Âge, le principal fournisseur d'étain de l'Aquitaine. Les navires chargés de tonneaux de vin au départ de Bordeaux ramenaient d'Angleterre du plomb, de l'étain, du drap et des cuirs. Au cours des XVIIe et XVIIIe siècles, l'étain anglais fut concurrencé par celui du Siam, apporté par les compagnies de navigation. Comme pour l'orfèvrerie, les étains sont contrôlés par le pouvoir royal dès 1691 afin d'établir un impôt et portent deux poinçons : le poinçon de maître et le poinçon de contrôle

fiscal, composé pour la ville de Bordeaux d'un B surmonté d'un F pour l'étain fin ou d'un C pour l'étain commun et encadré des deux chiffres précisant l'année. Ajoutons que, par rapport à l'orfèvrerie, les qualités physiques de l'étain, en particulier sa fusion à basse température, ont entraîné le moulage.

Une vingtaine de pièces (pour la plupart du legs Bonie, 1895) sont conservées au musée, une collection modeste mais bien diversifiée : pichets à vin, plats à venaison, écuelles couvertes dont celle, très belle, de François Fabreguettes (Millau, 1745 - Bordeaux, 1808) (fig. 55) avec ses

oreilles à décor rocaille asymétrique et une prise en grenade éclatée (don des Amis de l'hôtel de Lalande, 1988). Son frère cadet, Jean Fabreguettes (Millau, 1757 - Bordeaux, 1911), est l'auteur d'une paire de flambeaux décorés de côtes torses (achat de la Ville et du FRAM, 1987). Le chef-d'œuvre de la collection est une aiguière-casque, objet de prestige inspiré de l'orfèvrerie, de Joseph II Taudin, vers 1700, une œuvre capitale pour la poterie bordelaise de la première moitié du XVIIIe siècle (achat de la Ville, 1988) ; ces objets sont visibles dans la chambre garance (fig. 53).

54. Commode bordelaise, seconde
moitié du XVIIIe siècle

SALON BORDELAIS

C'est dans le plus noble et le plus vaste salon de l'étage, éclairé par les trois fenêtres centrales donnant sur la cour d'honneur, qu'a été replacé le bel ensemble de meubles bordelais portuaires parmi les boiseries acquises par la Ville en 1925.

D'un style Louis XVI tardif, marqué par le goût néoclassique, ces boiseries élégantes et raffinées provenant de l'hôtel du cordier Jean Ravezies, rue Saint-Charles à Bordeaux (1782 - 1784), diffèrent sensiblement de celles de la chambre jonquille dont la sculpture est plus épaisse et conventionnelle. Des motifs d'athéniennes et de cassolettes fumantes alternent avec de frêles guirlandes de fleurs « au naturel ». Au-dessus des portes, les trophées du Commerce, motif très courant à Bordeaux, ont pour pendant les rustiques attributs du chasseur, goût du propriétaire ou tendance de la fin du siècle qui prône le retour de la nature. Le motif néoclassique, des trépieds fumants, se retrouve sur les montants de la cheminée en marbre noir et blanc qui date des premières années du XIXe siècle.

Au milieu de ces lambris que vient compléter un parquet à compartiments chêne et acajou d'origine, ce salon évoque un riche intérieur bourgeois bordelais au début du XIXe siècle, marqué par la prédilection pour des créations du XVIIIe siècle, souvent données par des familles bordelaises (fig. 56).

Sous le lustre en verre de Murano de la fin du XVIIIe siècle (legs Astruc, 1953), comme dans le salon de compagnie du rez-de-chaussée, les meubles et objets rappellent les divertissements des hôtes de l'hôtel de Lalande : thé, café ou chocolat sur la table à cabaret dans un service de porcelaine de Bordeaux (don Calvet, 1983) avec le samovar anglais (legs Merman, 1978) ; jeux avec la table carrée brisée en angle, une pièce rare de mobilier de menuiserie bordelaise au décor de cannelures assorti à celui de la table à cabaret (achat de la Ville et du FRAM, 2002) ; lecture et écriture avec le monumental scriban tout à la fois commode, secrétaire et bibliothèque (achat de la Ville, 1981) et, enfin, la belle commode (fig. 54) à la traverse inférieure ajourée et sculptée de coquille et de fleurs sur petits pieds enroulés, décorés d'acanthes (don des Amis de l'hôtel de Lalande, 2002). Tous ces meubles en acajou sont les archétypes du mobilier portuaire bordelais étudié p. 30-31.

À la fin du XVIIIe siècle, la production des étains, fortement concurrencée par la porcelaine et surtout par la faïence fine peu onéreuse, doit se rabattre sur des objets plus ordinaires.

55. Écuelle à bouillon en étain du Bordelais François Fabreguettes dit l'Aîné, seconde moitié du XVIIIe siècle

56

Beaucoup plus rare et original est le pianoforte des années 1790, en acajou massif avec des filets de bois d'ébène (achat de la Ville et du Fram, 1984), qui rappelle à la fois l'activité musicale bordelaise intense en cette fin de siècle et la place des instruments de musique dans un salon. Sur la planche ou barre d'adresse, on peut lire la marque : *GARNIER/(Jeune) rue Bouffard/N°38/A BORDEAUX* (inscription imprimée à l'exception de *38*, manuscrit, qui correspond au numéro de fabrication). Il est remarquable d'observer que cet instrument a été fabriqué dans la rue où se trouve l'hôtel de Lalande et que, deux siècles plus tard, il se retrouve tout près de son lieu d'origine. La guirlande encadrant cette inscription témoigne encore de cette vogue du naturalisme à Bordeaux jusqu'à la fin du XVIIIe siècle. Un Pierre Garnier, « facteur d'instruments » est l'auteur d'un autre pianoforte, daté 1790, conservé par le musée (don des Amis des Musées, 1996) ; il s'agit de la même famille, d'origine lorraine, installée à Bordeaux, Pierre étant domicilié 102, rue de la Convention.

Des fauteuils cabriolets Louis XV (fonds ancien) sont recouverts d'un tissu imprimé d'après un modèle de papier peint de Duras installé à Bordeaux (cf. p. 79).

À Bordeaux, seuls les portraitistes peuvent vivre de leur art, la bonne société étant seulement attachée, en dehors de l'architecture, du mobilier, de l'orfèvrerie et de la vaisselle, à sa propre image ; nous l'avons constaté avec les miniatures (cf. p. 44-45). Les portraits exposés sur les boiseries sont de maîtres de passage, comme le Parisien J.-B. Perronneau (cf. p. 37) ou A.U. Wertmüller (1751 - 1811) de Stockholm, attirés par la richesse de la ville, le Flamand F.L. Lonsing (1739 - 1799) s'installant en 1785. Pierre Lacour, né et mort à Bordeaux (1745 - 1815), est le représentant purement bordelais du néoclassicisme, premier conservateur du musée des Beaux-Arts qui conserve la plupart de ses œuvres.

56. Salon bordelais

TOILES ET PAPIERS PEINTS DU XVIIIᵉ SIÈCLE À BORDEAUX

À partir de 1770, Bordeaux fut atteinte par la mode du papier peint, d'origine anglaise, diffusée par Paris et Versailles. La nouveauté provenait de l'emploi d'une peinture à la détrempe, opaque, permettant le recours à des couleurs vives et chatoyantes. Sur un fond coloré, on mettait en place des surfaces de couleur cernées par des dessins gravés en noir et blanc ; chaque couleur était apposée au moyen d'un jeu de planches elles aussi gravées, donnant des dégradés de couleurs, ce qui était très spectaculaire. Ces beaux papiers se vendaient aussi cher que les tapisseries des Gobelins que l'on décrochait pour leur faire place.

Parmi d'autres annonces de fabrication de papiers peints à Bordeaux, celle d'un Anglais, Edouard Duras, est la plus intéressante. Il s'installe en 1771 place Dauphine (aujourd'hui place Gambetta, à deux pas de l'hôtel de Lalande). Jusqu'en 1777, Duras évince toute concurrence à Bordeaux, se référant aux meilleurs dessins de Londres et à ceux de Paris en passe de devenir la capitale du papier peint ; il propose, dans une annonce parue le 3 avril 1777, « des tapisseries sur papier et sur toile de tous les modèles connus ». Au début des années 1780, il doit lutter contre

des rivaux sérieux et se tourner vers des compositions inspirées de l'antique, à l'imitation de la sculpture pour suivre l'évolution du goût.

Il décède en 1791 ; son épouse continuera son commerce, toujours place Dauphine, jusqu'en 1801.

On ne connaît de cette production, sans doute abondante, que quelques papiers posés en 1774 au château des évêques de Dax à Saint-Pandelon que rénovait alors monseigneur Le Quien de La Neufville, et des lambeaux sauvés de la rénovation, en 1979, de la maison qu'occupait Duras et où il tenait boutique, place Dauphine.

Les modèles retrouvés à Saint-Pandelon et à Bordeaux ont permis

des réimpressions à l'identique, exécutées par M. et Mme Blanc-Subes qui ont retrouvé les procédés de fabrication de la maison Duras.

Dans le musée, des toiles peintes sur des modèles de Duras tapissent des sièges et permettent d'évoquer cette création bordelaise inscrite dans le décor de vie de la ville, un aspect des arts décoratifs encore mal connu : les guirlandes palissées en camaïeu de bleu dans la première antichambre du premier étage, les rubans ondoyants et fleuris en rose avec effet de tissage sur un fond vert et les cordelières fleuries en camaïeu rose (fig. 57) dans le salon bordelais (don des Amis de l'hôtel de Lalande, 2004 - 2005).

57. Cordelières fleuries en camaïeu rose, toile peinte sur un modèle de Duras, Bordeaux, fin XVIIIᵉ siècle (détail)

57

Ferronnerie et serrurerie de Bordeaux
du XVe au XIXe siècle

Peu de villes peuvent s'enorgueillir des richesses de ferronnerie que l'on trouve à Bordeaux, l'œuvre des maîtres serruriers de l'Ancien Régime qui exécutent des ouvrages de « petite serrurerie », clés, serrures, cadenas, heurtoirs, ferrures d'armoires et de portes cochères et pour certains d'entre eux des « ouvrages en grand », rampes d'escaliers (cf. p. 18), balcons, impostes, portes de vestibule. Dès le début du XVIe siècle, quarante-huit serruriers bordelais sont répertoriés.

La collection du musée est très riche, près de neuf cent cinquante pièces datant des XVe-XIXe siècles. Elle provient d'ensembles réunis dès le XIXe par les bordelais Bonie, Chaventon, Évrard de Fayolle et R. Jeanvrot.

Le fer est coûteux et Bordeaux tient à se procurer le meilleur, à prix d'or, principalement en Suède mais aussi en Allemagne et en Espagne.

Le décor en fer forgé a une valeur de signe, celui de la richesse ; le heurtoir à boucle en platine découpée à damiers de l'entrée de l'hôtel de Lalande (cf. p. 13) est ostentatoire ; admiré par le visiteur ou le passant, il est devenu aujourd'hui emblématique de notre ville.

Pour accéder à la maîtrise, le compagnon doit réaliser un chef-d'œuvre qui consiste toujours en une clé et sa serrure, le travail devant commencer par la clé. Les serrures, une centaine dont la moitié bordelaises, du XVe au XIXe siècle, sont pour la plupart des chefs-d'œuvre – dans les deux sens du terme – avec des agencements très ingénieux, des miracles de précision, mais aussi de beauté quand ils sont ornés de filigranes (fig. 58). Les

59

auteurs de ces chefs-d'œuvre sont connus : Moutard en 1759, Moreau en 1737, Chaventon en 1759, mais il n'est pas possible de rendre à chacun ce qui lui appartient.

Enfin, exceptionnel, le système de fermeture interne des portes d'armoire, spécifique à Bordeaux, est une signature pour les meubles bordelais du XVIIIe siècle, surtout portuaires, jamais estampillés ; il se compose d'une crémone qui actionne les tiges, parfois ondées, fixées sur les vantaux par des platines découpées et d'une serrure à deux ou trois pênes, actionnée par une clé extérieure dont l'entrée est, par contraste, modeste (cf. fig. 20, 33, 46).

60. Plat japonais, manufacture Jules Vieillard & Cⁱᵉ à Bordeaux, vers 1880 (détail)

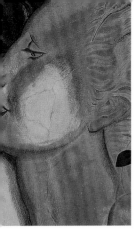

Second étage

La porte extérieure, placée sur la façade intérieure du pavillon de gauche au rez-de-chaussée de l'hôtel, joue le rôle d'entrée secondaire donnant sur un escalier de dégagement qui dessert les deux étages permettant à la domesticité d'y accéder sans déranger les hôtes et les invités de l'hôtel.

Le second étage est un étage de combles sous le haut toit à la française où logeaient les gens de maison et quelquefois de vieux parents célibataires et pauvres.

À la suite des XVIIᵉ et XVIIIᵉ siècles, les XIXᵉ et XXᵉ siècles, en majeure partie bordelais, sont exposés à cet étage.

CÉRAMIQUES BORDELAISES XIXᵉ SIÈCLE

À Bordeaux au XIXᵉ siècle, trois manufactures de céramiques successives produisent pendant 65 ans, de 1830 à 1895, d'abord de la faïence fine, mettant en œuvre une technique venue d'Angleterre. Son faible coût, conséquence d'un mode de production susceptible d'industrialisation, explique en partie son succès, qui marque l'arrêt de la production de faïence stannifère en Europe.

La faïence fine est une céramique dont la pâte blanche, fine et opaque, cuite au grand feu (1300 °C), est recouverte d'un vernis transparent plombifère. Paradoxalement, l'appellation de faïence fine est impropre, puisqu'il s'agit d'une forme de poterie vernissée, la couleur et la texture du tesson ne nécessitant pas d'être dissimulées sous un émail opaque de type stannifère. C'est un succédané de porcelaine, n'utilisant pas ou peu de kaolin.

Les pièces peuvent recevoir une grande variété de décors, plastiques, peints ou imprimés et la pâte peut être colorée dans la masse.

Quelque deux cents pièces proviennent surtout du legs Bonie en 1895, des dons Doumezy en 1970, Chardemite en 1978, J. Sargos en 1999 en souvenir de sa mère, et des très nombreux et importants achats de la Ville et des Amis de l'hôtel de Lalande.

Manufacture de Lahens et Rateau (1830-1832)

La première manufacture est fondée au domaine de Fourquerolles, dans les palus de Bacalan, par deux négociants, Lahens et Rateau. Elle fonctionne de 1830 à 1832, grâce à un céramiste remarquable, mais au caractère ombrageux, leur associé Boudon de Saint-Amans. Né à Agen en 1774, celui-ci, à l'occasion d'aventureuses tribulations, a étudié en Angleterre les procédés de fabrication des potiers du Staffordshire. La filiation anglaise de sa production, inspirée de Wedgwood, est évidente.

61. Toilette à décor d'applique blanc sur fond bleu, manufacture David Johnston, 1834 - 1845

62. Vue de la porte Cailhau à Bordeaux, détail d'un décor en faïence fine, manufacture David Johnston, 1837 - 1845

Manufacture de David Johnston (1834 - 1845)

Cette influence est encore sensible dans la production de la seconde manufacture bordelaise, fondée par David Johnston en 1834 et installée aux anciens moulins des Chartrons, 77, quai de Bacalan, où elle sera active pendant dix ans. Négociant, et maire de Bordeaux de 1838 à 1842, David Johnston engage comme directeur Boudon de Saint-Amans ; celui-ci reste deux ans, se retirant ensuite en Agenais où il poursuit seul ses recherches. Une toilette (fig. 61) à décor d'applique blanc sur fond bleu et à la forme élégante, d'inspiration antique, est très caractéristique de l'empreinte de Boudon de Saint-Amans (achat de la Ville, 1974).

La grande innovation par rapport à la production précédente est le décor imprimé, report sur l'objet à décorer d'une gravure à l'aide d'encres susceptibles de se fixer par cuisson. À Bordeaux, le report se fait à partir d'une lithographie. Peu coûteux, il n'est pas toujours d'une netteté parfaite. Il sert à décorer principalement des pièces de service, production que la manufacture de Jules Vieillard poursuivra à ses débuts ; les noms du peintre Pierre Lacour, des lithographes Légé et Gorse sont associés à ces décors. La vue de la porte Cailhau à Bordeaux est un détail d'un décor créé par Pierre Lacour fils (Bordeaux, 1778 – *id.*, 1859), imprimé en bistre, souligné d'or sur le couvercle d'une soupière en faïence fine (don Pinçon, 1975) (fig. 62).

61

62

Manufacture Jules Vieillard et Cⁱᵉ (1845 - 1895)

En difficultés financières depuis 1840, et malgré l'énergie et la ténacité de son fondateur, la manu-facture de David Johnston constituée en société est déclarée en liquidation en janvier 1844. Jules Vieillard a été engagé dès 1840 pour diriger la partie technique et surveiller la gestion commerciale ; il devient, sur la demande des actionnaires, gérant et directeur de la faïencerie de Bacalan, qui continue à fonctionner à partir de 1845 sous le nom de Jules Vieillard et Cⁱᵉ. Bon technicien et bon gestionnaire, il développe l'en-treprise et lui donne l'ampleur d'une industrie. Jules Vieillard meurt en 1868, ses deux fils prennent sa suite. À la période de plus grande prospérité, en 1878, 1400 ouvriers sont employés par la plus grande entre-prise bordelaise.

Dans un premier temps, la production de Vieillard reste dans la ligne de celle de David Johnston : on retrouve les pièces d'inspiration anglaise, et les services imprimés, à décor dits « tapisserie », « au saule pleureur », « panier fleuri » et le fameux « service turc » de Pierre Lacour.

63

À partir des années 1850, la manufacture diversifie sa production : à la faïence fine s'ajoutent des grès et surtout de la porcelaine dure qui tend à devenir l'élément principal de la fabrication.

Peu après 1875, un nouveau tournant est pris : on adopte de nouveaux procédés de décoration d'une qualité bien supérieure, les émaux, pour des thèmes éclectiques empruntés principalement à l'Orient. Les émaux sont des couleurs vitrifiables posées sur la couverte, le biscuit ou un engobe, à la manière chinoise. Appliqués en plusieurs couches opaques ou transparentes, et cernés d'un trait d'émail noir qui retient les coulures, ils peuvent être modelés en relief plus ou moins épais ; cernés d'un trait en relief, ils sont dits « cloisonnés ». Amédée de Caranza, céramiste et verrier cosmopolite, aventurier de l'art, né à Istanbul, les aurait introduits à Bordeaux. Chef d'atelier chez Vieillard en 1882, il quitte la manufacture en 1888. Durant cette décennie, les maîtres verriers attachés à la manufacture font des vitraux pour de nombreuses maisons de Bordeaux avec des décors en écho à ceux de la céramique. Le régionalisme reste présent avec des décors peints par des peintres paysagistes comme L. A. Cabié (1853 – 1939).

Alors que les artistes, à la recherche de secrets techniques et de sources d'inspiration, étudient les céramiques de la Renaissance ou du XVIIIe siècle européen, de la Turquie et de la Perse, de l'Extrême-Orient, dans le but de parvenir à une création originale et de qualité, le Japon, récemment ouvert aux étrangers, offre à leurs yeux des céramiques, estampes, tissus et laques précieux ; la mode – ou la passion – du japonisme, mot inventé vers 1872, va croissant, devenant à Bordeaux, à partir de 1878 environ, comme ailleurs, une fécondante source de renouveau.

Des services et des pièces décoratives, reprennent d'abord les poncifs de l'art japonais : branches en zigzag

63. Plat japonais, manufacture Jules Vieillard & Cⁱᵉ à Bordeaux, vers 1880

64. Dessin pour un plat du service japonais rouge et or, manufacture Jules Vieillard & Cⁱᵉ à Bordeaux, vers 1890

64

de prunus en fleurs et jolis oiseaux, mêlés à des éléments chinois ou hindous, selon un mode d'hybridation familier à l'art céramique européen. Puis l'inspiration puise aux sources de l'estampe japonaise, l'*ukiyo-e*. À Hokusaï, « le vieillard fou de dessin », principalement, et à Hiroshige, sont empruntés décors floraux et animaliers, caractérisés par une prédilection pour l'asymétrie et la ligne bisée, comme dans ce plat rond avec un pigeon-paon faisant la roue encadré d'une branche fleurie et d'un papyrus d'émaux en relief (fig. 63) (don Doumézy, 1970).

Le musée a la chance de conserver une soixantaine de somptueux dessins préparatoires pour les différents services issus du japonisme ; celui de la déesse Kwannon, debout sur une carpe monumentale, est un dessin d'exécution au format d'un plat octogonal du service japonais rouge et or (fig. 64).

Après la mort des frères Vieillard, la manufacture cesse son activité en 1895, ayant donné la preuve d'un grand dynamisme industriel, peut-être incompatible avec la recherche d'une si grande qualité.

65. Salle à manger Bonie-Veillard

SALLE À MANGER BONIE-VIEILLARD

Dans la seconde moitié du XIXᵉ siècle s'impose le goût pour les styles des siècles passés (gothique, Renaissance, Grand Siècle…). On qualifie ce mouvement général d'historicisme, tendance à laquelle se superpose l'orientalisme, né de l'intérêt de l'Occident pour les pays lointains, Afrique du Nord, Moyen et Extrême-Orient.

À Bordeaux, la demeure d'Édouard Bonie (Marseille, 1819 - Bordeaux, 1894) – qu'il aménagera en musée avant de la léguer à la Ville en 1895 – était l'exemple le plus représentatif de cet éclectisme : salle à manger Renaissance, chambre Louis XIII, salon Louis XV, salle d'armes et fumoir arabe, composés de meubles et d'objets d'époque, de commandes de style, de souvenirs ramenés de ses lointains voyages et d'œuvres de Vieillard, dans le même esprit que la maison de Pierre Loti à Rochefort. Le musée Bonie fut malheureusement démantelé il y a quarante ans et les œuvres dispersées dans les musées de la ville.

Les collections du musée des meubles des XVIᵉ et XVIIᵉ siècles (fonds ancien) ont permis de réaliser une salle à manger qui aurait pu être celle d'Édouard Bonie. Celui-ci avait notamment acquis deux pièces majeures de cette présentation : une fontaine d'appartement (fig. 66 b) en émaux en relief cerné et fond d'or, qui était dans le vestibule de sa maison, et une vasque à l'Africaine (fig. 66 a) en faïence à émail stannifère peint (ce que l'on appelait à l'époque « majolique ») et émaux en relief cernés ; elles mesurent toutes les deux près de trois mètres de hauteur.

66 a

La première est qualifiée de « fontaine persane » en référence à l'harmonie bleue de l'ensemble, et elle est sans doute l'œuvre de Caranza ; la seconde a aussi une tonalité bleue d'ensemble, avec des inspirations perses, comme les grosses fleurs blanches et rondes, ou le vase porté par la « reine sauvage », inspiré d'un vase persan en cuivre damasquiné, servant à rafraîchir les sorbets. Les deux ont participé à l'Exposition universelle de 1878 où la manufacture de Vieillard obtint une médaille d'or, Bonie les ayant achetées par la suite.

Un des trois dressoirs du XVIe siècle, celui aux deux bustes en bas-relief, ornait la salle à manger d'Édouard Bonie (fig. 65). Illustrés par Vieillard, l'historicisme, avec surtout la Renaissance, et les goûts chinois et japonais se partagent le décor de cette salle à manger ; le japonisme est à l'honneur avec des services très somptueux, décorés d'émaux polychromes, dont certains sont inspirés par des scènes de la *Manga* d'Hokusai. Les donateurs de ces œuvres ont déjà été cités dans les pages précédentes.

66 a. Vasque à l'Africaine, manufacture Jules Vieillard & Cⁱᵉ à Bordeaux, vers 1878 (3 m de hauteur)

66 b. Fontaine d'appartement « persane », manufacture Jules Vieillard & Cⁱᵉ à Bordeaux, vers 1878 (3 m de hauteur)

66 b

XXᵉ SIÈCLE

Avant d'aborder la grande période bordelaise des années 1920-1930, dite Art déco, quelques pièces d'Art nouveau sont dans les réserves en attendant une prochaine présentation. Déjà exposés, des verres des dernières années de la manufacture de Vieillard sont proches des créations d'Émile Gallé et René Lalique, les grands verriers de 1900, avec leur tonalité subtile et leurs effets d'opalescence, associant le décor végétal et la figure symbolique de la femme (dépôt d'un collectionneur privé, 2005). D'autres verres émaillés du Libournais autodidacte Nicolas Jean Alphonse Giboin, décédé en 1921, témoignent, à la même époque, du courant historiciste et orientaliste cher à Bonie, collectionneur de ses verres, aujourd'hui dans le musée grâce à son legs de 1895.

Émile Gallé et Louis Majorelle de l'école de Nancy de 1900, avec deux meubles déposés par le musée des Beaux-Arts en 1992, démontrent le renouvellement de la marqueterie à thème botanique et symboliste.

Henri Hamm, né à Bordeaux en 1871, aux talents très divers, comme souvent les artistes Art nouveau, est l'auteur de petits objets dont un ravissant miroir à main en forme d'étang (legs Paul Berthelot, 1940) ; ses œuvres peintes sont conservées au musée des Beaux-Arts de Bordeaux.

Enfin, des tableaux du bordelais Pierre Marcel Berronneau (Bordeaux, 1869 - La Seyne-sur-Mer, 1937), peintre symboliste, un des élèves les plus brillants de l'atelier de Gustave Moreau, seront accrochés sur les cimaises de cette future salle 1900, Art nouveau (legs Jacques Baudichon, 1981).

BORDEAUX ART DÉCO

Les années 1920 - 1930 sont, à Bordeaux, une période particulièrement riche pour les arts décoratifs qui accompagnent les réalisations architecturales caractérisées par un goût pondéré et fidèle à la tradition, un néoclassicisme modernisé.

67

67. *Service à collation* de
Maurice Daurat, vers 1930
68. Bordeaux Art déco

Hommage à René Buthaud
(Saintes, 1886 - Bordeaux, 1986)[*]

« Adepte du décor historié, René Buthaud est un des grands céramistes de la période Art déco. Son exceptionnelle longévité et une grande curiosité créatrice lui ont permis d'aborder la faïence, la céramique de grand feu, le grès recouvert de lave de Volvic, la porcelaine et, accessoirement, toutes sortes d'expériences de décoration, notamment, à la manière de Jean Dupas, les fixés-sous-verre. L'ensemble de son œuvre porte la marque de sa formation première de peintre et de graveur – il est second grand prix de Rome de gravure en taille douce en 1914.

Arrivé enfant à Bordeaux, Buthaud ne quittera plus cette ville, à l'exception de son passage à l'École des beaux-arts de Paris (classe de Gabriel Ferrier) et d'un intermède, de 1923 à 1926, durant lequel il dirige l'usine de céramique de Primavera, fondée par René Guilleré à Sainte-Radegonde, près de Tours. Mais dès 1920, il expose chaque année au Salon des artistes décorateurs et au Salon d'automne. De 1928 à 1964, la maison Rouard, à Paris, présente ses céramiques, tandis qu'à Bordeaux, Buthaud reçoit quelques commandes officielles : en 1937, les vases en mosaïque pour le palais des sports et les bas-reliefs des quatre saisons, en plâtre, pour la mairie du Bouscat ; il refait, au début des années cinquante, en faïence, le grand cadran de l'horloge du palais de la Bourse, brisé par un bombardement. En 1951, il conçoit deux vitraux pour la maison du Vin et des bas-reliefs en faïence pour la façade d'une école.

En 1931, il est nommé professeur d'arts décoratifs à l'école des beaux-arts, au sein de laquelle est créé un atelier de céramique en 1955.

Démobilisé pour raison de santé en 1918, René Buthaud commence alors sa carrière de céramiste, après en avoir appris quelques rudiments auprès d'un obscur potier. Plus tard, en 1925, l'obtention du prix Florence Blumenthal lui permet de faire un stage à la maison l'Hospier à Golfe-Juan, où il perfectionne sa connaissance des émaux. Ses premières pièces sont en faïence stannifère et ornées de grosses fleurs stylisées, parfois lustrées à la manière hispano-mauresque, mais, très vite, il adopte des décors animés de personnages. Il est remarqué, dès sa première exposition, en 1919, par Maurice de Vlaminck et André Derain, qui avaient eux-mêmes, quelques années auparavant, expérimenté le décor sur céramique avec André Metthey.

Au retour de Sainte-Radegonde, Buthaud se fait construire un four alimenté au charbon qui lui permet de fabriquer ce qu'il a appelé sa « céramique de grand feu », grâce à une terre extraite à Canéjan, près de Bordeaux, une argile claire d'une grande plasticité, dépourvue de fer et réfractaire pour cette raison. Quoique soumise à une cuisson très élevée, analogue à celle du grès, elle ne vitrifie pas et reste assez fragile ; elle présente un émail à base de feldspath, épais et mat, d'une texture cireuse donnant de belles craquelures.

Buthaud a toujours insisté sur l'influence classique qu'exerça sur lui la ville de Bordeaux, et son œuvre en porte la marque dans les formes et les décors,

[*] Cette biographie a été écrite par Jacqueline du Pasquier en 1997 (*Bordeaux Arts déco*, Paris, Somogy éditions d'art).

69. Bol, faïence à émail
stannifère, vers 1920,
de René Buthaud

69

souvent tirés de la mythologie. La figure féminine ample et généreuse, de face ou de dos, tourne autour de la panse des vases : divinités marines, sirènes et « centauresses » entourées d'animaux bondissants ou bustes d'élégantes parées de fleurs ou de chapeaux, maniant l'éventail, accompagnées de compositions florales. Durant sa grande période, Buthaud réalise aussi des vases monochromes au décor modelé dans la pâte, en relief plat. L'Exposition coloniale de 1931 constitue une féconde source d'inspiration pour

quelques belles pièces, toujours de grand feu, au décor incisé et peint d'Africaines sculpturales.

Sous la signature « J. Doris », Buthaud crée, dans les années trente, des pièces à décor d'incisions et de ponctuations dans l'engobe craquelé – technique à laquelle il donne le nom de « peau de serpent » – et des pièces, d'un intérêt secondaire, inspirées des miniatures persanes à décor lustré. N'obtenant plus, à partir de 1940, le charbon lui permettant de pratiquer le grand feu, Buthaud revient à la faïence stannifère avec des statuettes de couleurs vives d'un caractère plus populaire. Remarquablement intelligent et lucide à l'égard de sa production, se rendant compte de l'extrême qualité des pièces réalisées approximativement entre 1925 et 1935, Buthaud reprendra beaucoup plus tard, à la fin des années soixante, certains des décors créés à sa grande époque. »

Parmi les trente-quatre œuvres conservées par le musée, pour la plupart déposées par le musée des Beaux-Arts de Bordeaux en 1985 et augmentées par des achats de la Ville et du FRAM, des dons des Amis de l'hôtel de Lalande et des Établissements Duclot, le bol des années 1920 (fig. 69) en faïence à émail stan-

nifère et au décor lustré est une des premières pièces de l'artiste avec personnages où il sait déjà adapter avec sûreté le dessin à l'arrondi d'une forme (dépôt, 1985). Plus tard, vers 1931, un vase en céramique de grand feu au décor brun, bistre, argent et doré (fig. 71), est inspiré par les sculptures d'Alfred Janniot (Paris, 1889 - *id.*, 1965) pour la façade du palais permanent des Colonies de la porte Dorée à l'Exposition coloniale de 1931 (achat 1977). En 1940, l'artiste adapte des thèmes classiques sur des figurines en faïence de tons vifs avec beaucoup d'harmonie (fig. 70).

Une belle et grande gouache, deux mètres de hauteur, montre l'aisance de Buthaud dans les arts graphiques ; le jeune athlète orne en mosaïque une des faces des quatre vases que Buthaud dessine pour le stade municipal de Bordeaux, aujourd'hui stade Chaban-Delmas, que Bordeaux construisit entre 1933 et 1938 sur les plans de Raoul Jourde et Jacques d'Welles, architectes de la Ville (don Fortin, 1986).

René Buthaud, comme son ami Jean Dupas pour le *Normandie*, exécuta à partir de 1933 des fixés-sous-verre en grand format composés de panneaux de verre épais juxtaposés. L'œuvre du musée (achat de la Ville et du FRAM, 2004) (fig. 68) mesure 1,45 x 2 m ; elle est formée de six panneaux représentant le *Char de Vénus*. Vénus est enveloppée d'une voile en conque tenue par deux angelots. Le char est tiré par deux fougueux chevaux marins, soulevant dans son sillage les flots d'une mer apaisée, aux vaguelettes festonnées. Le ciel doré d'un soleil couchant n'est troublé que par un nuage traversé par deux élégantes mouettes au tracé cubique. L'or, le brun et l'argent, récurrents dans les fixés-sous-verre de Buthaud, sont complétés par le bleu de la mer et la belle harmonie de mauve et vieux rose des drapés.

70. *Léda et le cygne*, faïence à émail stannifère, de René Buthaud, après 1935

71. Vase, céramique de grand feu, de René Buthaud, vers 1931

71

72. Affiche du XVe Salon des artistes décorateurs, Paris, 1924, de Jean Dupas
73. Théière de l'orfèvre Roland Daraspe

72

Un bel ensemble comprenant un divan en cosy-corner, une coiffeuse, un bureau plat, un lampadaire, une armoire, un guéridon, une table de fumoir et quatre fauteuils en palissandre de Rio massif et plaqué, des années 1930-1935 (don Seguin, 1979), a été exécuté par un excellent ébéniste bordelais, Maurice Triboy (Bordeaux, 1890 - *id.*, 1974) ; il est représentatif du beau mobilier français des années 1930 avec des oppositions de volumes, pleins et déliés, et des lignes courbes et droites et une priorité donnée au bois (fig. 68). Un contemporain de Triboy, Alexandre Callède (Morcenx, 1899 - Pessac, 1980), est l'auteur d'une série de six fauteuils (achat de la Ville et du FRAM, 1991) pour la salle à manger de l'hôtel Frugès de Bordeaux, construit de 1913 à 1927 par le Bordelais Pierre Ferret pour l'in-

dustriel Henri Frugès, décoré par des artistes parisiens et bordelais comme René Buthaud.

Parmi les grands peintres du mouvement international Art déco, le Bordelais Jean Dupas (Bordeaux, 1882 - Paris, 1964) est un des plus importants ; sa carrière est triomphale. Admiré autant en Europe qu'aux États-Unis, à Bordeaux, il est l'ami de René Buthaud à qui il donne le goût des fixés-sous-verre, une de ses spécialités pour décorer les grands paquebots. En 1936, il participe au programme de la Bourse du travail, construite sur les plans de J. d'Welles, en composant une allégorie de Bordeaux dans la salle des fêtes. La superbe composition de deux bustes féminins est l'illustration de l'affiche du XVe Salon des artistes décorateurs à Paris en 1924 ; le motif de l'oiseau et la forme très particulière des cous et des bras sont caractéristiques de l'artiste (fig. 72) (don des Amis de l'Hôtel de Lalande, 1996).

D'autres artistes bordelais ont travaillé durant cette période avec talent dans des domaines différents ; leurs œuvres sont exposées : le *Service à collation*, vers 1930, en argent et ébène (achat de la Ville et du FRAM, 1991) (fig. 67), de Maurice Daurat (Bordeaux, 1880 - Meulan, 1969) ; les peintures Art déco de Raphaël Delorme (Bordeaux, 1885 - Paris, 1962) ; la céramique de Marguerite de Saint-Germain (Bordeaux, 1864 - *id.*, 1960) et celle de Simone Larrieu (Bordeaux, 1912 - *id.*, 1996).

DESIGN

Le musée des Arts décoratifs a une ouverture sur la création contemporaine, surtout dans des domaines qui lui sont propres, les arts de la table ou le mobilier, et plus particulièrement avec des artistes ayant un lien avec Bordeaux ou la région. Des dons, des achats et de nombreux dépôts du Fonds national d'art contemporain et du Fonds régional d'art contemporain ont constitué cette collection, d'une centaine de pièces, commencée par Jacqueline du Pasquier dans les années 1980.

73

74. Salle design

75. Lampe *Super* de Martine Bedin, 1981

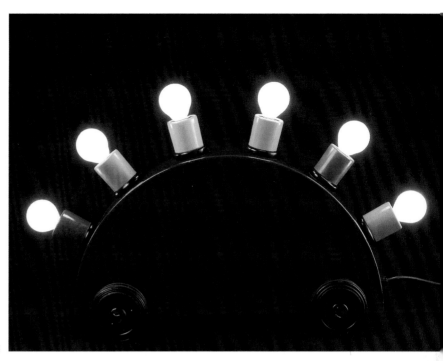

75

Un des points forts est la présence du mouvement Memphis, créé à Milan en 1981 sous la direction d'Ettore Sottsass, né à Innsbrück en 1917 : coupe *Murmansk*, 1982, inspirée d'un tabouret zaïrois (FNAC) (fig. 74). Dans ce mouvement contestataire – plus de couleurs, plus de volume, plus de motifs en réaction contre le minimalisme et le fonctionnalisme issus du Bauhaus –, deux Bordelaises sont cofondatrices : Martine Bedin, attirée par le mobilier et le luminaire, avec la lampe *Super*, 1981 (don des Amis de l'hôtel de Lalande, 2005) (fig. 75), image de la première exposition du groupe, et Nathalie Du Pasquier, plus dans le domaine des objets et du textile, avec des pendules et le velours imprimé du fauteuil *Mamounia,* 1985, de George Sowden (Leeds, 1942), autre membre de la Memphis (FNAC) (fig. 74).

En relation avec l'importante collection de verrerie ancienne du musée, les objets en cristal de Borek Sipek (Prague, 1949), dans la tradition de la Bohême, et les verres doubles (1983) d'Achille Castiglioni (Milan, 1918) sont, entre autres, des témoignages de la permanence de cet art.

L'orfèvrerie contemporaine, elle aussi précédée par les œuvres bordelaises du XVIIIᵉ siècle, trouve une continuité chez les bordelais Nathalie Du Pasquier, avec la théière *Istambul*, 1997 (don Buthel, 1996), et Roland Daraspe (Versailles, 1950), installé à Macau, près de Bordeaux, dont l'originalité est de concevoir et de réaliser seul ses pièces ; la théière de 1989 (fig. 73), en forme de nef, est particulièrement raffinée (don des Amis de l'hôtel de Lalande, 1991).

D'un autre Bordelais, aujourd'hui designer et architecte à Paris, Sylvain Dubuisson (Bordeaux, 1946), la lampe de table *Tétractys* (1985) est une réussite de technique sophistiquée et d'élégance épurée (FNAC) (fig. 74).

76. Intérieur de l'appartement bordelais de
Raymond Jeanvrot dans les années 1950

77. Tinot, *Une grisette bordelaise*, miniature de
1829

La collection historique Jeanvrot

La collection Jeanvrot est entrée dans le musée par achat en 1958, puis par legs en 1966 ; riche de près de 19 000 objets et meubles, elle a demandé une présentation dans des lieux qui lui sont consacrés. Jacqueline du Pasquier, après l'avoir inventoriée, l'a installée dans l'aile des communs de l'hôtel, qui abritait les cuisines, garde-manger et buanderie, rénovée et partagée en quatre salons ; elle est présentée d'une manière didactique avec les œuvres les plus marquantes, les autres étant conservées dans les réserves.

Raymond Jeanvrot est bordelais ; né en 1884, décédé en 1966, il consacre toute sa vie et sa fortune à collectionner des souvenirs de sa famille et des derniers rois Bourbons de France et de leurs familles*, Louis XVI et ses deux frères Louis XVIII et Charles X et surtout le duc de Bordeaux, comte de Chambord, héritier ultime des Bourbons, mort sans postérité. Henri IV, revendiqué comme une référence par ses descendants du XIXe siècle, est souvent associé au duc de Bordeaux qui porte le même prénom que son aïeul. C'est une des plus importantes collections légitimistes de France, qui permet de lire d'une manière privilégiée et émouvante quelques pages de l'histoire de France, de la Révolution jusqu'à la fin du XIXe siècle. À part quelques belles pièces ayant appartenu personnellement aux familles royales, la plupart sont des images et des objets de propagande transmettant un message politique en faveur de la monarchie comme les « images séditieuses » qui circulèrent clandestinement à partir de 1793 et sous l'Empire, celles qui furent refaites au moment de la Restauration pour des besoins de propagande monarchique et les objets que suscita la dévotion portée sous le second Empire par l'impératrice Eugénie à la reine Marie-Antoinette (fig. 76).

SALON DES PANORAMIQUES

Les murs de ce salon sont tendus d'un papier traité en grisaille daté de 1824, provenant de la maison Dufour de Paris (fig. 78) et présentant de grands motifs néoclassiques connus sous le nom de « Fêtes grecques », d'après les dessins de Xavier Mader (fig. 80) ; cette tenture, ainsi que les lambris d'appui sont rapportés et décoraient une maison située à Quinsac sur les bords de la Garonne.

---

* Voir en annexe page 121 l'arbre généalogique des Bourbons de France.

78. Salon des panoramiques
79. Gravure au « saule pleureur », France, XIXᵉ siècle

Les objets souvenirs de la famille maternelle de Raymond Jeanvrot, d'origine charentaise, installée en Guadeloupe au XVIIIᵉ siècle, sont présentés dans une vitrine : paysages, scènes de groupe, miniatures mais aussi objets d'art décoratif influencés par l'exotisme des Antilles comme les pendules « au Nègre » ou l'ovale sur ivoire en haut au milieu, daté de 1829, montrant une grisette bordelaise (fig. 77), coiffée du madras traditionnel des Antillaises, à la mode à Bordeaux au XIXᵉ siècle, qui rappelle le commerce du port avec les îles à cette époque.

Dans une autre vitrine, l'iconographie de Louis XVI et de Marie-Antoinette, à caractère sentimental et larmoyant, évoque leurs derniers jours. Plus intéressantes sont les fameuses « images séditieuses » ne permettant qu'aux initiés de retrouver les profils cachés des prisonniers du Temple de part et d'autre du tronc de l'arbre, comme dans cette gravure au « saule pleureur » (fig. 79). Sur des supports différents, les membres de la famille royale pendant la Restauration sont accompagnés par leur ancêtre Henri IV profilé dans un superbe cristallo-cérame de Montcenis.

On remarque dans le mobilier un piano carré à la marque *Ignace Pleyel et fils aîné*, en acajou, citronnier et érable, daté de 1816 (legs Pevrau, 1941) et quatre chaises volantes à la Chiavari, sur un modèle italien, d'une extrême légèreté (fonds ancien) (fig. 78).

80. Papier peint panoramique
de la maison Dufour à Paris,
début XIXe siècle (détail)

80

81

81. *Entrée du duc et de la duchesse
d'Angoulême à Bordeaux le 5 mars
1815*, tableau de Boccia, XIXᵉ siècle

SALON DU DUC ET DE LA DUCHESSE D'ANGOULÊME

Né à Versailles en 1775, Louis-Antoine de Bourbon, duc d'Angoulême, est le fils aîné de Charles X, second frère de Louis XVI à monter sur le trône ; en 1799, il épouse en exil sa cousine germaine Marie-Thérèse Charlotte de France, née à Versailles en 1778, fille aînée de Louis XVI et de Marie-Antoinette, enfermée avec ses parents au Temple jusqu'en 1795. L'union des deux cousins fut stérile mais leurs actions et leur fidélité à la royauté font partie de l'histoire de la Restauration et de celle de Bordeaux. Souvent désignée comme l'orpheline du Temple, la duchesse d'Angoulême contribua par son image à la propagande de Louis XVIII qu'elle suivit en exil et dont elle s'occupa d'une manière filiale ; le titre éloquent de la gravure, *L'Antigone française*, évoque ces sentiments réciproques, car Louis XVIII, avec réalisme politique, se présenta toujours comme son père adoptif.

Le duc d'Angoulême connut son heure de gloire en étant le premier Bourbon arrivé en France, après la chute de Napoléon, à Bordeaux le 12 mars 1814 qui fut ainsi la première grande ville de France à fêter le retour de la monarchie. Une gravure, d'après un tableau de Kinson conservé au musée des Beaux-Arts de Bordeaux, le montre devant les quais de la ville, habillé en grand amiral de France. Sur le mur de droite, un tableau de Boccia (fig. 81), un artiste italien installé à Bordeaux, rappelle le premier anniversaire de cet événement. Le 5 mars 1815, le couple Angoulême entre à Bordeaux dans un carrosse découvert, tiré et poussé par de jeunes notables bordelais connus qui, dans un élan enthousiaste, ont dételé les chevaux pour prendre leur place ; les jeunes filles sont habillées en blanc, le lys, et en vert, l'espérance, couleurs de la Restauration. Mais cet anniversaire coïncide avec le début des Cent-Jours et le retour de Napoléon ; Angoulême doit partir à Toulouse et la duchesse, essayant de résister, reste à Bordeaux jusqu'au 2 avril, date à laquelle elle s'embarque à Pauillac pour l'Angleterre ; un détail du tableau du baron Gros sur ce départ, conservé au musée des Beaux-Arts de Bordeaux, illustre son geste pathétique, donnant en signe d'adieu à ses fidèles les plumes de son chapeau.

Dans la vitrine sont rassemblés des souvenirs du 12 mars 1814 et de l'anniversaire de 1815 ; les plus intéressants sont les deux petits portraits du duc et de la duchesse d'Angoulême par le peintre bordelais Gustave de Galard (1779 – 1841). À gauche de la vitrine, deux caricatures font allusion à l'austérité glaciale et au courage de la duchesse d'Angoulême en 1815, « le seul homme de la famille » disait Napoléon.

Après la chute des Bourbons en 1830 et l'arrivée des Orléans, le duc et la duchesse d'Angoulême accompagnèrent Charles X et la famille royale en exil ; ils décédèrent en Autriche, lui en 1844 et elle en 1851.

82

82. Boîte en or avec un portrait en miniature de la duchesse de Berry, 1820, de François Sieurac (1781 - vers 1832)

83. *La Duchesse de Berry partant pour l'exil en 1830*, tableau anonyme, XIXe siècle

SALON DE LA DUCHESSE DE BERRY

Dans ce salon sont retracées les grandes étapes de la vie tumultueuse de la belle-sœur de la duchesse d'Angoulême, la duchesse de Berry, Marie-Caroline de Naples, le personnage historique préféré de R. Jeanvrot. Fille de François Ier, roi des deux Siciles, et de Marie-Clémentine, archiduchesse d'Autriche, elle est née à Naples en 1798 dans le palais de Caserte. Elle fait partie de l'histoire de la Restauration en France par son mariage ; en effet, quand Louis XVIII monte sur le trône en 1814, sans héritier, son premier soin est d'en trouver un chez les deux fils de son frère, le futur Charles X. L'aîné, le duc d'Angoulême, est sans postérité ; Louis XVIII se presse alors de marier le second, le duc de Berry, et choisit Marie-Caroline de Naples. En 1819, naît leur première fille, Louise d'Artois ; mais, en 1820, leur bonheur est brutalement interrompu par l'assassinat du duc de Berry devant l'Opéra par Louvel qui pensait mettre un terme à la dynastie des Bourbons

de France. Quelques mois plus tard, Marie-Caroline donnait naissance à un fils, Henri, « l'enfant du miracle », duc de Bordeaux (cf. p. 111-113).

Les objets de la grande vitrine racontent la vie de la duchesse de 1820 à 1830 à Paris comme mère de l'héritier de la couronne de France. La plupart lui ont appartenu et certains sont très précieux comme les portraits en miniature sur ivoire, les boîtes en or (fig. 82) ou les broches ; présentée au milieu de la vitrine, une parure composée d'un collier et de deux bracelets faits de miniatures sur émail fut porté par Marie-Caroline lors d'un bal costumé qu'elle donna aux Tuileries en 1829 en souvenir de Marie Stuart, reine de France en 1559, dont l'origine étrangère et le précoce veuvage lui semblaient proches de sa vie.

En 1830, la chute de Charles X donne le trône de France à Louis-Philippe d'Orléans et entraîne en exil les Bourbons avec une première étape en Écosse ; un joli tableau anonyme (fig. 83), acheté par la Ville en 1971, montre le départ de Marie-Caroline pour l'Écosse. Malgré la défense de Charles X et la désapprobation de toute l'Europe, elle essaie en 1832 de soulever la Vendée contre Louis-Philippe ; elle échoue, se cache à Nantes et, trahie, se retrouve dans la prison de Blaye en Gironde où, quelques mois plus tard, elle accouche d'une fille, perdant ainsi tout crédit pour l'avenir de son fils, le duc de Bordeaux. Après son accouchement, la duchesse quitte la France et, désormais comtesse Lucchesi-Palli, ne jouera plus aucun rôle politique. Plusieurs meubles de l'époque Restauration accompagnent ces souvenirs, dont deux chaises à la cathédrale en palissandre et surtout sa table à ouvrage en frêne et bronze doré et son coffre à bijoux surmonté du buste d'Henri IV qui étaient dans la prison de Blaye.

83

SALON DU DUC DE BORDEAUX

Dédié au duc de Bordeaux, accompagné dans les premières années par sa sœur, Louise d'Artois, ce salon évoque sa vie, depuis sa naissance jusqu'à sa mort, dans quatre vitrines.

Dans la première, l'essentiel des pièces se rattache à une propagande chrétienne et sentimentale : petites gravures, profils sur fond bleu pâle, bustes en biscuit de Sèvres et encore verre d'eau orné du profil en cristallo-cérame du duc de Bordeaux, autant d'images destinées à renforcer l'amour des Français à leur égard. La pendule en bronze doré où la duchesse de Berry allaite le duc de Bordeaux devant Louise d'Artois agenouillée est un exemple parfait de sentimentalisme.

84

Seuls le hochet en argent et les chaussons en peau blanche auraient appartenu au duc de Bordeaux. À côté, deux meubles, un secrétaire (fig. 85) et une armoire en ronce de citronnier, achetés par Charles X pour les étrennes de Louise d'Artois le 31 décembre 1826, sont deux petits chefs-d'œuvre de la maison parisienne Alphonse Giroux ; destinés à un enfant de sept ans, l'âge de Louise, ils ont des bronzes à la couronne de France noircis en signe de deuil de son père, le duc de Berry (achat de la Ville, 1973).

Dans la deuxième vitrine, des objets de propagande sont de nouveau présentés à côté d'une paire de trophées d'armes miniaturisés en argent niellé dite Jeu de Trocadéro, rappelant la prise du fort de Trocadéro par le duc d'Angoulême en 1823 et ayant appartenu au duc de Bordeaux, ainsi que son livre d'alphabet.

La troisième vitrine raconte l'exil des deux enfants de 1830 à 1836 avec la famille royale, à la suite de l'abdication de Charles X et de l'avènement de Louis-Philippe d'Orléans. D'abord en Écosse, le château d'Holyrood à Édimbourg, que l'on retrouve sur les boîtes et les gravures, accueille « les petits Écossais », images allusives et séditieuses diffusées en France, en cachette, sur différents supports, boîtes, encriers, pendules, gravures.

Fin 1832, Charles X et sa famille s'installent au palais de Hradschin à Prague dont on voit les appartements royaux sur trois aquarelles anonymes à droite de la troisième vitrine.

85

Dans la quatrième vitrine (fig. 84), nous suivons le dernier exil du duc de Bordeaux, devenu comte de Chambord à sa majorité. En 1836, la famille royale quitte Prague pour Goritz, où décède Charles X, et s'installe quelque temps plus tard au château de Frohsdorf en Autriche. En 1846, le comte de Chambord épouse Marie-Thérèse d'Este, fille aînée du duc de Modène. À partir de cette date, les deux époux sont associés sur des portraits, des médailles, des vases et des boîtes, images de propagande politique en faveur d'Henri V, nom sous lequel Chambord aurait régné, proches de l'idolâtrie légitimiste comme les images religieuses en papier découpé à glisser dans un missel ou les nombreux bustes. Quelques objets personnels de Chambord sont présentés : son coupe-papier et sa paire de ciseaux au chiffre H couronné, son encrier aux trophées de chasse ou encore son nécessaire de toilette. Son accession au trône de France, très proche de réussir en 1873, échoue à cause de son refus symbolique du drapeau tricolore. Dix ans plus tard, le dernier Bourbon de France, descendant direct d'Henri IV, meurt à Frohsdorf sans postérité. Quelques manifestations de fidélité après son décès se retrouvent dans des bijoux de deuil, notamment le bracelet d'argent doré, ciselé de fleurs de lys et du monogramme H. V (Henri V) et de l'inscription *Arques 1589, Frohsdorf 1883*, Arques étant le nom de la première des victoires remportées par Henri IV pour conquérir le trône de France.

84. Dernières années du comte de Chambord

85. Secrétaire d'enfant à abattant, Alphonse Giroux, Paris, 1827

STATUE DU DUC DE BORDEAUX

« La collection Raymond Jeanvrot s'est enrichie en 1999, au moment de la vente du château de Groussay, d'une œuvre très importante, qui faisait partie de la collection de Charles de Beistegui. Il s'agit d'une statue en biscuit de porcelaine dure représentant, grandeur nature, le jeune duc de Bordeaux âgé de sept ans, commandée à la manufacture de Sèvres dans le courant de l'année 1827 et dont Charles X fit présent à sa nièce et belle-fille, la duchesse d'Angoulême, Mme la dauphine, tante très affectionnée du duc de Bordeaux.

Il n'existe aucune autre œuvre en biscuit de cette taille : elle mesure 1,21 m de haut, taille du jeune prince à l'âge de sept ans. Modeler et faire cuire un morceau de pâte de porcelaine de cette taille représente une véritable prouesse technique que la manufacture de Sèvres n'a pas renouvelée.

Petit-fils de Charles X, Henri Dieudonné, duc de Bordeaux, désigné sous le titre de comte de Chambord dès l'exil de 1830 et exclusivement à partir de 1839, était né à Paris le 29 septembre 1820 ; il était le fils posthume de Charles Ferdinand, duc de Berry, deuxième fils de Charles X, et de la princesse napolitaine Marie-Caroline de Bourbon-Sicile.

Après la révolution de 1830, comme les autres membres de la famille royale, le duc de Bordeaux vécut en exil. Il fut séparé de sa mère dès 1831, à partir du moment où celle-ci quitta la famille royale qui se trouvait à Édimbourg, pour tenter de soulever le Midi et la Vendée contre le gouvernement de Louis-Philippe. Il fut alors élevé en partie par sa tante, l'austère et pieuse duchesse d'Angoulême. Dernier représentant de la branche aîné des Bourbons, le duc de Bordeaux en devint l'unique prétendant au trône.

La statue représente le duc de Bordeaux revêtu d'un uniforme de tenue à pied de cuirassier de la garde royale, sa main gauche porte encore le gant à crispin réglementaire des cavaliers. Dans une position légèrement déhanchée, la jambe droite en avant un peu ployée, le jeune duc de Bordeaux s'accoude, du même côté, sur un globe terrestre placé sur une base en fût de colonne à décor gravé. Le piédouche qui supporte le globe est en partie caché par le manteau complétant la tenue des cavaliers, négligemment posé et retombant en plis droits à l'arrière de la statue, jusqu'à son socle occupé également par un casque à cimier et chenille, lui-même cachant à demi un gros livre laissé sur le sol.

Cet ensemble d'accessoires encombre lourdement et d'une manière presque désordonnée la terrasse, et l'enfant accoudé semble avoir été arrêté pour quelques instants seulement dans ses jeux ou les acti-

vités physiques dans lesquelles il excellait, notamment le sport équestre. Le prince est représenté, comme tous les petits garçons de son âge, vif et plein d'entrain. Son pantalon est froissé, sa main droite est dégantée et l'habit-veste de son uniforme, imparfaitement boutonné, laisse dépasser un gros mouchoir en tapon. La jeunesse du modèle est sensible également dans l'arrondi des bonnes joues et le cou encore grassouillet qu'enserre le collet orné d'un macaron. Les traits du visage, fins, menus et réguliers et les cheveux ondés ramenés sur le front et les tempes, sont aisément reconnaissables, communs à toutes les effigies du duc de Bordeaux dont la grâce enfantine est relevée ici par la matière délicate du biscuit. Le mouchoir, placé en évidence au cœur de la statue de telle sorte qu'on le remarque autant que la jeunesse du prince, rappelle le chagrin de l'orphelin dont le père fut assassiné sept mois avant sa venue au monde. Le globe terrestre sur lequel l'enfant s'accoude, comme l'ouvrage de Bossuet, *Discours sur l'histoire universelle*, soulignent, quant à eux, l'importance politique du jeune héritier, considéré comme le restaurateur de la puissance française. L'Asie, et plus particulièrement l'Inde et l'océan Indien, sont la partie visible du globe terrestre sur laquelle s'appuie l'enfant ; ils se trouvent ainsi placés sous son gant, c'est-à-dire sous sa protection. Or c'est précisément au XIXᵉ siècle que Bordeaux va étendre puis intensifier ses relations commerciales, *via* l'Inde, avec l'Extrême-Orient. Il y a donc ici un rappel du lien très fort qui unissait le duc de Bordeaux à la ville dont il portait le nom. Rappelons que le titre de duc de Bordeaux, exceptionnellement conféré à un dauphin de France, avait été choisi par Louis XVIII qui voulait par là exprimer sa reconnaissance aux Bordelais, les premiers en France à s'être ralliés au retour des

86. Biscuit du duc de Bordeaux à l'âge
de 7 ans, grandeur nature, manufacture
de Sèvres, 1827

Bourbons. La naissance de celui qui fut spontanément désigné à Bordeaux comme « *nostré tant aymat Henricou* » avait déclenché dans la ville du 12 mars une véritable liesse populaire.

Reste enfin le curieux décor gravé qui apparaît sur le côté de la colonne et qui regroupe deux images, une lampe à huile, à la flamme haute et fournie, et un serpent se dressant devant un miroir. La lampe funèbre rallumée est vraisemblablement une allusion à la naissance de l'enfant après la mort du père. Quant au serpent devant un miroir, il symbolise la sagesse et la réflexion, vertus éminemment souhaitables chez un futur souverain.

La singularité de l'œuvre doit beaucoup à la matière dont elle est façonnée. Matière royale et raffinée, à la fois dure et fragile, le biscuit apporte une sorte d'acuité dans le rendu des détails que l'on ne voit nulle part ailleurs, et confère, par là, une troublante réalité aux particularités physiques de l'enfant comme aux éloquents accessoires qui l'entourent. Et cela, Guersant, en concevant le plâtre, semble l'avoir réalisé. Sur les boutons de l'uniforme, on distingue parfaitement la petite grenade qui symbolise encore à cette époque les troupes d'élite. Quant au mouchoir si peu protocolaire mais si vrai avec ses plis chiffonnés qui gonflent la vareuse, il recèle une véritable force évocatrice et devient doublement révélateur de cet appel au sentiment qui caractérise la propagande monarchiste du début du XIXe siècle.

C'est un portrait très élégant mais qui prend en compte, malgré une tenue qui se veut martiale, la fragilité et l'isolement du prince orphelin. »

Extraits de l'article de Jacqueline du Pasquier paru
dans la *Revue du Louvre*, décembre 2002, p. 58-63

87. Cour intérieure du musée et façade des réserves

Réserves

Quand en 1885 la Ville décide de construire une prison-dépôt dans le jardin de l'hôtel de Lalande, l'architecte choisi est Marius Faget (Bordeaux, 1833 - *id.*, 1916), auteur entre autres de l'église Saint-Augustin, qui, compte tenu du projet, s'en est acquitté au mieux, en digne héritier de la grande tradition du XVIIIe siècle ; ravalée en 1980, sa façade retrouve sur un mode mineur l'architecture de l'hôtel (fig. 87).

Les structures intérieures, elles aussi rénovées et respectées, sont parfaitement bien utilisées pour conserver les œuvres non exposées. Ces réserves sont visitables à la demande par un public intéressé par une recherche ou un complément d'information (fig. 88).

Parmi les richesses des réserves, il faut signaler le reste de la collection de Raymond Jeanvrot (autour de 17 000 objets, tableaux et meubles) et une collection d'armes du XVe au XVIIIe siècle : environ trois cents hallebardes, arquebuses, arbalètes, sabres, épées et cent trente armes à feu ; la Ville avait acheté en 1852 cet ensemble important à un particulier et l'avait installé dans le domaine de Carreire, récupéré en 1923 par l'hôtel de Lalande.

88. Intérieur des réserves

Les Amis de l'hôtel de Lalande

Association de la loi 1901, fondée en 1983 par Jacqueline du Pasquier, elle regroupe les adhérents du musée des Arts décoratifs ; sa vocation est de faire connaître le musée et favoriser son développement. Elle participe activement à l'enrichissement des collections, à la restauration des œuvres et au réaménagement de l'hôtel ; elle organise toute l'année des ateliers d'art décoratif (aquarelle, peinture sur porcelaine, réfection de sièges, restauration de faïence et porcelaine, copie et restauration de tableaux) et des voyages (deux à trois par an). Ainsi, les Amis de l'hôtel de Lalande ont pu visiter de hauts lieux culturels non seulement en France, mais aussi en Europe, aux États-Unis, en Asie, en Amérique du Sud, au Moyen-Orient…

Une boutique, placée sous l'égide de l'association et dirigée par une équipe de bénévoles, propose, d'une part, des répliques de modèles de la porcelaine bordelaise et de la faïence de Samadet, d'autre part des œuvres d'artistes régionaux comme l'orfèvre Roland Daraspe, les céramistes Maïté Fouquet-Chantoiseau, Jean-Paul Gourdon, Christine Viennet et Beatriz Garrigò.

Henri IV
(1553 - 1610)

Louis XIII
(1601 - 1643)

Louis XIV
(1638 - 1715)

Louis XV
(1710 - 1774)

Louis XVI
(1754 - 1793)

épouse

Marie-Antoinette
(1755 - 1793)
**archiduchesse
d'Autriche**

**Marie-Thérèse-Charlotte
de France**
(1778 - 1851)
**Madame Royale
duchesse d'Angoulême**
à son mariage en 1799
avec le duc d'Angoulême,
son cousin germain

**Louis-Joseph
de Franc**
(1781 - 17
Premier Dau

Tableau généalogique des Bourbons de France (1553 - 1883)

Louis XVIII
né **comte de Provence**
(1755 - 1824)

épouse

**Marie-Josèphe
de Savoie**

SANS POSTÉRITÉ

Charles X
né **comte d'Artois**
(1757 - 1836)

épouse

**Marie-Thérèse
de Savoie**

**Louis-Charles
de France**
(1785 - 1795)
**duc de Normandie,
Dauphin** à la mort de
son frère aîné
« L'enfant du Temple »
« Louis XVII »

**Sophie-Hélène
de France**
(1786 - 1787)

**Louis-Antoine
d'Artois**
(1775 - 1844)
duc d'Angoulême
épouse sa cousine germaine en 1799
**Marie-Thérèse-Charlotte
de France**
(fille de Louis XVI)
(1778 - 1851)

SANS POSTÉRITÉ

**Charles-Ferdinand
d'Artois**
(1778 - 1820)
duc de Berry
épouse en 1816
**Marie-Caroline
de Bourbon-Sicile**
(1798 - 1870)
duchesse de Berry

Louise d'Artois
(1819 - 1864)
**Mademoiselle
duchesse de Parme**
à son mariage
avec

**Ferdinand-Charles
de Bourbon**
(1823 - 1854)

11 ENFANTS

**Henri-Dieudonné
duc de Bordeaux**
(1820 - 1883)
à sa majorité, **comte de Chambord**

épouse

**Marie-Thérèse
d'Este**
(1817 - 1886)

SANS POSTÉRITÉ

Index

Crédits photos

La photogravure a été réalisée par Quat'coul, Toulouse.
Achevé d'imprimer sur les presses de Snoeck-Ducaju & Zoon (Belgique) en novembre 2005.